図解でわかる

時事重要テーマ100

2025-2026 | 日経HR編集部 編著

日経**HR**
NIKKEI HUMAN RESOURCES

はじめに

　本書は就職試験や公務員試験、行政書士などの資格試験、中学受験から大学受験まで、あらゆる試験で問われる時事問題の学習の一助となることに主眼をおき、企画、構成したものです。時事ニュースは就職選考や受験において、筆記試験で出題されるだけでなく、グループディスカッションや小論文のテーマになったり、面接試験で意見を求められたりすることもあります。

　本書では、話題になっている国内外の時事ニュース、政治・経済の重要キーワードを、全9章・100テーマに分類し、やさしく解説しました。時事や政治・経済にあまりなじみのない方にも理解できるよう、豊富にイラストや図を掲載し、ひと目で重要なポイント（論点）が分かるよう工夫しています。

　社会の動向と深く関わる、産業界や企業に関する基礎知識や、新聞などを読むのに必要な経済用語も紹介しています。本書をうまく活用して、各種試験を乗り切ってもらえたら幸いです。

目次

本書の特長と活用法

本書の5大特長

● 100テーマ厳選して紹介
政治、経済などの様々な出来事の内容やその課題を、全9章で100テーマを厳選して掲載。第1章の「重要テーマセレクト10」では、特に話題を集めている重要なテーマをまとめた。

●テーマのポイントが明確
各テーマの意味や問題（課題）が何なのか、また「そもそも」何のか？など、冒頭に押さえるべきポイントをまとめた。

●ビジュアル誌面で分かりやすい
各テーマの内容がひと目で分かるように、イラストや図を使って解説。解説文はあえてシンプルにした。短時間でイッキに理解することが可能だ。

●「働くことを考える」テーマを掲載
筆記テストやグループディスカッションなどの試験の対策だけでなく、企業や業界の研究に役立つ情報、就職前には知っておきたい雇用に関する基礎知識も掲載した。

●経済知識の基礎も掲載
新聞やテレビで報道される、経済や企業に関するニュースを理解するため、経済の基礎的な用語もいくつか取り上げた（第9章）。

● 本書の内容は、原則として2024年9月1日時点での情報に基づきます。
● 敬称、商標は省略しています。
● 引用・転載しているデータ・資料等の出所（参考文献、ウェブサイト）は、各ページに明記しています。なお、本書制作にあたり、様々なウェブサイト等も参考にしています。

●重要度
★マークで3段階表示している。★マークが多いほど重要度が高い。時間がない場合は、★★★のものから優先的に読んでいこう。

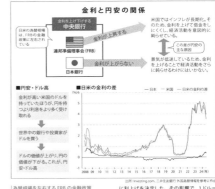

●解説文
なるべく平易な表現で、簡潔にわかりやすく解説している。

●関連キーワード
各テーマに関連し、知っておきたいキーワードを掲載した。「解説文」に、その言葉が出てくる場合もあるので、こちらをあわせて確認してもらいたい。

●ポイント

各テーマの意味や問題（課題）、重要事項をまとめた。

●図や表での解説

世界情勢での対立の構図、様々な制度の仕組み、メリット・デメリットなどを図とイラストで解説した。経済関連のテーマではグラフが多いが、「見るべきポイント」がすぐに分かるようにしている。

●確認ドリル

各章の最後に掲載している。本書で解説した基礎的な内容が理解できているかを確認しよう。簡単な穴埋め問題なので、確実に答えられるようにしておこう。

FRBの金利の見通し

■FRBと日銀の動向

2022年3月	**FRB** はインフレ抑制のために利上げを決定
2022年10月	1ドル＝110円台半ばで推移していた円相場が、150円台を記録。**日銀**は「円買い介入」を行い、円安の進行抑制をはかった
2024年3月	**日銀**はマイナス金利の解除を決定。17年ぶりの利上げとなる
2024年4月	1ドル＝160円台と、34年ぶりの円安水準を記録

年	政策金利
2024	5.1%
2025	4.1%
2026	3.1%
長期見通し	2.8%

FRBは2024年末、2025年末、2025年末に段階的に利下げをすると示唆した。

日本株の上昇

- 堅調な景気
- 株高
- 円安
- 輸出増

→ 日本株上昇

ところが

■日経平均株価の推移

2024年8月5日、日本をはじめ、アジアや欧州の株式市場も株価が急落。しかし、6日には一転して、過去最大の上げ幅となった。

4万2224円02銭（7月11日）

3万5909円70銭（8月2日）

1987年10月のブラックマンデーを超える下げ幅

円相場の乱高下は今後も続く見通し。

のインフレが加速するとの見方が強く、そのため再び円安になり、24年4月には1ドル＝160円台と、34年ぶりの円安水準を記録した。

このように、日米の為替相場は、FRBの金融政策によって左右されるといえる。

｜日本の株価が上昇するも、8月に大幅下落

FRBが利上げを続けているにもかかわらず、政府の財政政策が功を奏し、米国の景気は堅調に見えた。好況に支えられて米国の株価は上昇した。また、円安相場が後押しして日本株に割安感が増し、投資家などによる日本株買いが進んだ結果、24年7月、日経平均株価は過去最高4万2224円を記録した。

ところが、8月に日本の株式市場で日経平均株価が12%安と大幅続落し、ブラックマンデーを超えて過去最大の下げ幅を記録した。

> **関連キーワード**
> 連邦準備理事会（FRB）＝Federal Reserve Board。米国の中央銀行制度の最高意思決定機関。日本でいうところの日本銀行のような役割を果たし、金利や公定歩合の変更などを担う。実際の業務は下部組織である12の連邦準備銀行が担当している。

11

第1章 重要テーマセレクト10　確認ドリル

カッコ内に入る言葉を答えよ。

1 2024年7月、日経平均株価は過去最高の（　　　）円台を記録した。

2 米国が主導する月面有人探査計画を（　　　）という。

3 イーロン・マスク氏がCEOを務め、世界のロケット打ち上げの5割を占める米国の企業の名称は（　　　）である。

4 ロシアがウクライナに侵攻した理由の1つは、欧米諸国によって結成された軍事同盟（　　　）にウクライナが加盟することを阻止するためである。

5 パレスチナ・ガザ地区を実効支配するイスラム原理主義組織を（　　　）という。

6 2024年、世界で初めてAI規制法を成立させたのは（　　　）である。

7 特定重要物資の確保や基幹インフラの安定確保などを目的に、2022年5月に成立した法律は（　　　）法である。

8 国内企業8社が出資し、先端半導体の生産を目指す企業の名称は（　　　）である。

9 2016年に発効した、産業革命前からの気温上昇を2℃未満、できる限り1.5℃未満に抑えることを目標にした国際的枠組みを（　　　）という。

10 温室効果ガス排出量を減らすために太陽光などのクリーンエネルギーに転換することを経済成長の機会と捉え、経済社会システムを変革することを（　　　）という。

【解答】1. 4万3000　2. アルテミス計画　3. スペースX　4. 北大西洋条約機構（NATO）
5. ハマス　6. 欧州連合（EU）　7. 経済安全保障推進　8. Rapidus（ラピダス）
9. パリ協定　10. GX（グリーントランスフォーメーション）

30

入試や就職・転職、資格、公務員試験では、時事問題について問われることがある。ニュースを見ていて、内容がよくわからないこともあるだろう。『日経キーワード』では、社会の動きをつかめるキーワードを 500 語以上掲載し、解説している。本書『図解でわかる時事重要テーマ 100』と併せて活用すれば、ビジネスや社会の動きについての理解がより深まるだろう。

各分野の重要キーワードを解説

日経HR編集部 編
日経HR

日経キーワード
2025-2026
就職・転職から資格・公務員・昇進試験まで！

『日経キーワード　2025-2026』
日経 HR 編集部 編著、2024 年 12 月発売予定

社会の動きをつかめるキーワードを 500 語以上掲載
言葉の意味や背景がわかり、時事・経済ニュースをみるみる理解できるようになる!

巻末には「資料編 基礎用語ミニ辞典」
日経ならではのミニ辞典として、「経済・金融」「国際」などの基礎用語を掲載。

（注）誌面は『日経キーワード 2024-2025』（2023 年 12 月発行）のものです。

第 1 章

重要テーマセレクト10

テレビや新聞などで話題となっているテーマから、
編集部が注目する 10 本をセレクト。
まずはこの 10 テーマをしっかり学ぼう。

01 歴史的な円安、日本株上昇

★★★

ポイント
- ▶続く円安はインフレを抑制したい米国の利上げが原因
- ▶日本銀行が介入しても、円安は止まらなかった
- ▶円安の影響で日本株に割安感があり、多く買われた

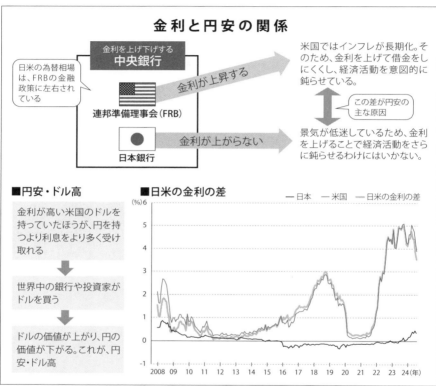

金利と円安の関係

金利を上げ下げする
中央銀行

日米の為替相場は、FRBの金融政策に左右されている

🇺🇸 連邦準備理事会（FRB）

金利が上昇する

米国ではインフレが長期化。そのため、金利を上げて借金をしにくくし、経済活動を意図的に鈍らせている。

この差が円安の主な原因

🇯🇵 日本銀行

金利が上がらない

景気が低迷しているため、金利を上げることで経済活動をさらに鈍らせるわけにはいかない。

■円安・ドル高

金利が高い米国のドルを持っていたほうが、円を持つより利息をより多く受け取れる

世界中の銀行や投資家がドルを買う

ドルの価値が上がり、円の価値が下がる。これが、円安・ドル高

■日米の金利の差

— 日本　— 米国　— 日米の金利の差

出所：Investing.com、三井住友銀行 外国為替情報を参考に作成

為替相場を左右する FRB の金融政策

歴史的な円安相場は、2022 年 3 月頃から始まった。これは米国が金利を上げ続けているのに対し、日本は長引く景気低迷のために金利を上げることができず、金利の差が拡大していることが大きな原因になっている。

米国の中央銀行にあたる連邦準備理事会（FRB）は、22 年 3 月、インフレ抑制のために利上げを決定した。その影響で、1 ドル＝ 110 円台半ばで推移していた為替相場は、同年 10 月に 150 円台を記録した。

これに対し日本銀行（日銀）は、円安の進行を抑えるため数度の円買い介入を行い、24 年にはマイナス金利を解除した。また米国でインフレが減速したことも影響し、円安は止まったかに見えた。ところが、市場では再び米国

関連キーワード　**円買い介入**：過度に円安が進むのを抑える目的で、中央銀行などが外国為替市場で円を買う行為。「円買い・ドル売り介入」ともいう。反対に円高の進行を抑えることを「円売り介入」という。24 年 4 月、政府と日銀は 5 兆 9185 億円の円買い介入を行った。

ＦＲＢの金利の見通し

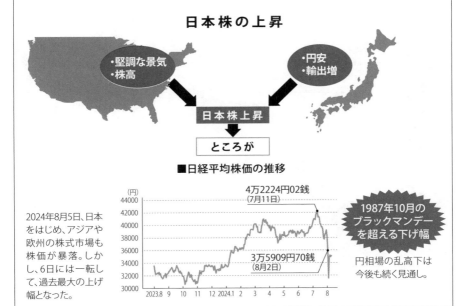

■FRBと日銀の動向

2022年3月　**FRB**はインフレ抑制のために利上げを決定

↓

2022年10月　1ドル＝110円台半ばで推移していた円相場が、150円台を記録。**日銀**は「円買い介入」を行い、円安の進行抑制をはかった

↓

2024年3月　**日銀**はマイナス金利の解除を決定。17年ぶりの利上げとなる

↓

2024年4月　1ドル＝160円台と、34年ぶりの円安水準を記録

年	政策金利
2024	5.1%
2025	4.1%
2026	3.1%
長期見通し	2.8%

FRBは2024年末、2025年末、2026年末に段階的に利下げをすると示唆している。

日本株の上昇

・堅調な景気
・株高

・円安
・輸出増

日本株上昇

↓

ところが

■日経平均株価の推移

4万2224円02銭
（7月11日）

3万5909円70銭
（8月2日）

1987年10月のブラックマンデーを超える下げ幅

円相場の乱高下は今後も続く見通し。

2024年8月5日、日本をはじめ、アジアや欧州の株式市場も株価が暴落。しかし、6日には一転して、過去最大の上げ幅となった。

のインフレが加速するとの見方が強く、そのため再び円安になり、24年4月には1ドル＝160円台と、34年ぶりの円安水準を記録した。

このように、日米の為替相場は、FRBの金融政策によって左右されるといえる。

| 日本の株価が上昇するも、8月に大幅下落

FRBが利上げを続けているにもかかわらず、政府の財政政策が功を奏し、米国の景気は堅調に見えた。好況に支えらえて米国の株価は上昇した。また、円安相場が後押しして日本株に割安感が増し、投資家などによる日本株買いが進んだ結果、24年7月、日経平均株価は過去最高4万2224円を記録した。

ところが、8月に日本の株式市場で日経平均株価が12%安と大幅続落し、ブラックマンデーを超えて過去最大の下げ幅を記録した。

関連キーワード

連邦準備理事会（FRB）：Federal Reserve Board。米国の中央銀行制度の最高意思決定機関。日本でいうところの日本銀行のような役割を果たし、金利や公定歩合の変更などを担う。実際の業務は下部組織である12の連邦準備銀行が担当している。

02 世界の選挙

▶ 2024年は世界各国で国政選挙が多く実施された
▶ 欧州では保守勢力が勢いづく中、英仏では左派が勝利
▶ 各国で政権交代が続いている

★★★

欧州の選挙

右派 保守党 ➡ 左派 労働党

英国
2010年から保守党が政権を担ってきたが、人手不足によるインフレや住宅ローン金利の上昇などを招いた。24年の総選挙の結果を受け、労働党のスターマー氏が首相に就任。

経済成長で英国再建!

新首相 スターマー氏

中道右派 欧州人民党(EPP)

欧州連合(EU)
欧州連合には27カ国が加盟しており、欧州議会選挙は2024年で10回目となる。加盟国ごとに異なる選挙制度を採用している。24年の選挙では、極右会派の割合が高まった。

中道 与党連合 ➡ 与党連合+ 左派連合

フランス
2024年の選挙では、左派連合「新民衆戦線(NFP)」が最大議席数を獲得し、中道の与党連合は第2勢力になった。単独で政権を維持できなかったアタル氏は首相を辞任。

欧州では保守勢力が存在感を増している

2024年は各国で国政選挙が多く行われる年となった。多くの国で与党と野党第一党の二大政党が対立する構図になっており、民意が反映された結果、野党第一党への政権交代がなされることが珍しくない。日本でも09年の衆議院議員選挙において野党第一党であった民主党が勝利し、政権が交代した。

英国では保守党と中道左派の労働党の二大政党が対立しており、24年7月に行われた下院の選挙では労働党が大勝し、14年ぶりに政権が交代した。またフランス国民議会選挙では、野党の左派連合が勝利している。

一方、加盟国27カ国で行われた欧州議会選挙では、親EU(中道右派)の欧州人民党(EPP)が最も議席を獲得したものの、EU懐疑派の極

関連 キーワード

右派・左派:政治の立場や思想を示す用語。伝統や保守的な価値観などを重んじる右派と、革新・革命的でリベラルな政治姿勢を有する左派という特徴がある。欧州議会では、極右会派が連合して政党グループを次々と結成。今後の動向が注目されている。

右会派の割合が高まるなど、欧州では保守勢力の勢いが高まりつつある。

アジア、中東各国でも政権交代があった

政権交代の波は、アジアや中東にも及んでいる。韓国総選挙では、リベラル政党であり最大野党の「共に民主党」（DPK）が単独過半数を維持し、与党は敗北した。またイラン大統領選では、政権を維持し続けてきた保守派を破って改革派のペゼシュキアン氏が勝利し、19年ぶりの改革派政権となった。

政権が交代しなかった国もある。世界最大の直接選挙といわれるインドネシアの大統領選挙では、プラボウォ前国防相が当選し、前大統領の政策を継続する。台湾の総統選挙では、台湾の主権を擁護する民主進歩党（民進党）の主席、頼清徳氏が勝利した。

 関連キーワード

政党連合：複数の政党が協力関係を結んでつくる政党のこと。一党だけでは国会で過半数を占めることができないときにつくられる。フランスの国民議会選挙では、優勢だった極右の国民連合（RN）を退け、左派連合「新民衆戦線（NFP）」が最大議席を獲得した。

宇宙開発

★★★

▶ 2020年以降、月着陸レース再開
▶ 宇宙開発は官から民へ
▶ 月を基点に、多様な産業が発展していく

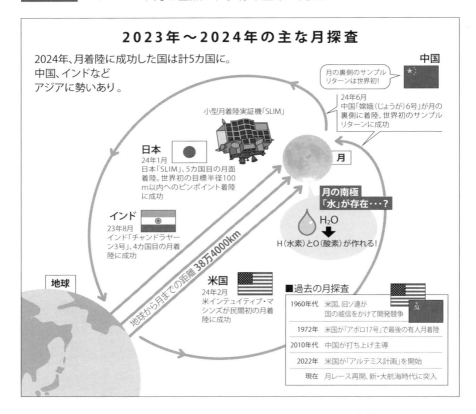

2023年～2024年の主な月探査

2024年、月着陸に成功した国は計5カ国に。
中国、インドなど
アジアに勢いあり。

中国
月の裏側のサンプルリターンは世界初!

24年6月
中国「嫦娥(じょうが)6号」が月の裏側に着陸、世界初のサンプルリターンに成功

小型月着陸実証機「SLIM」

日本
24年1月
日本「SLIM」、5カ国目の月面着陸。世界初の目標半径100m以内へのピンポイント着陸に成功

月

**月の南極
「水」が存在…?**

H_2O

H(水素)とO(酸素)が作れる!

インド
23年8月
インド「チャンドラヤーン3号」、4カ国目の月着陸に成功

地球から月までの距離 **38万4000km**

地球

米国
24年2月
米インテュイティブ・マシンズが民間初の月着陸に成功

■過去の月探査

1960年代	米国、旧ソ連が国の威信をかけて開発競争
1972年	米国が「アポロ17号」で最後の有人月着陸
2010年代	中国が打ち上げ主導
2022年	米国が「アルテミス計画」を開始
現在	月レース再開、新・大航海時代に突入

月着陸成功、中国、インド、日本も

月は火星へ向かう中継基地として期待を集めている。月の南極に水がある可能性があり、水があればロケットや機械の燃料となる水素や人に必要な酸素を作ることができる。月面基地や工場、発射場の建設の展望が広がった。重力の弱い月では、燃料効率よくロケットを打ち上げることが可能といわれている。

米国と旧ソ連による宇宙開発競争以降、月レースは落ち着いていたが、2010年代から中国が月探査を開始。23年にインド、24年に日本も続き、月着陸した国は計5カ国になった。

24年6月には、中国の「嫦娥(じょうが)6号」が世界初となる月の裏側のサンプルリターン(土壌サンプルを地球に持ち帰る)に成功し、世界に高い技術力を示した。

関連キーワード

宇宙条約：1966年、国連で採択された宇宙に関する基本ルール。平和利用の原則、領有の否定、軍事利用の禁止などが定められている。資源開発や民間企業の活動については想定されておらず、国際的なルールの整備が求められている。

宇宙開発のプレーヤーが変わった

■宇宙開発の変化

①官から民へ
・イーロン・マスク氏率いる米スペースXが、世界のロケット打ち上げの5割近くを占める（2023年）

イーロン・マスク氏

②大から小へ
・衛星コンステレーションなどで、小型化、軽量化が進む

③少数から多数へ
・「ニュースペース」と呼ばれる宇宙関連のスタートアップ企業が増加
・建設、資源、自動車、食品、バイオなどの非宇宙企業にも広がり

■アルテミス計画 「アポロ計画」以来の有人月探査

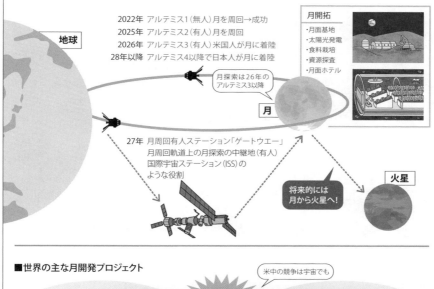

地球

2022年 アルテミス1（無人）月を周回→成功
2025年 アルテミス2（有人）月を周回
2026年 アルテミス3（有人）米国人が月に着陸
28年以降 アルテミス4以降で日本人が月に着陸

月探索は26年のアルテミス3以降

月

月開拓
・月面基地
・太陽光発電
・食料栽培
・資源探査
・月面ホテル

27年 月周回有人ステーション「ゲートウエー」
月周回軌道上の月探索の中継地（有人）
国際宇宙ステーション（ISS）のような役割

将来的には月から火星へ！

火星

■世界の主な月開発プロジェクト

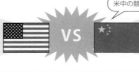

米中の競争は宇宙でも

アルテミス計画 米国主導
日本、カナダ、オーストラリアなど38カ国

VS

国際月研究基地（ILRS）計画 中国主導
ロシア、ベラルーシ、パキスタンなど11カ国

米「アルテミス計画」に日本参加

　宇宙開発は民間企業に広がり、民間のロケット、衛星の打ち上げが増えている。米国の月探査プロジェクト「アルテミス計画」は、1960～70年代の「アポロ計画」以来の有人月着陸に挑む。日本など38カ国が参加しているが、米スペースXなどの民間企業も名を連ねる。スペースXは史上最大のロケット「スターシップ」の飛行試験中で、アルテミス計画でも投入される見込み。計画では、25年に有人月周回、26年に米国人宇宙飛行士が月着陸する。日本人宇宙飛行士の月着陸は28年以降になる。

　一方で、中国主導の「国際月研究基地（ILRS）計画」にはロシアなど11カ国が参加。宇宙でも対立構造は続く。

関連キーワード

再使用型ロケット：打ち上げ後、機体の一部、または全部を再使用するロケット。資源の節約や輸送コスト減が可能になる。米スペースXは機体の1段目を再使用することで、コスト減と打ち上げ精度の向上を実現させた。

04 ウクライナ侵攻、終結の条件

★★

▶ ウクライナは和平条件として10項目を掲げる
▶ ロシアはウクライナ4州の独立を求める
▶ ウクライナの和平条件、新興国の一部で不支持

和平交渉の行方

2022年2月24日　ロシアがウクライナへ侵攻

侵攻の理由・背景	ウクライナのNATO（北大西洋条約機構）加盟を阻止	ウクライナ政府からのジェノサイド（集団虐殺）にさらされるロシア系住民の保護
	・ゼレンスキー大統領はNATO加盟を公約に掲げている。	・ウクライナ東部2州の独立を巡り、ウクライナ政府と親ロシア派武装勢力が戦闘状態にあった。

私たちの夢は勝利し、平和を取り戻すこと

応戦 ◀ ▶ 侵攻

ウクライナ
人口：4159万人
兵力：ロシアの半分強
G7やEU（欧州連合）、NATO加盟国などが支援。国連総会やG20サミットなどにも参加、各国に支援を要請。

ロシア
人口：1億4645万人
兵力：約119万人（現役兵）
核兵器保有国で、その使用を示唆するほか、隣国ベラルーシに戦術核兵器を配備。

和平の条件はウクライナ東・南部4州の独立の承認

ウォロディミル・ゼレンスキー大統領
2019年5月に大統領就任。汚職の根絶も公約に掲げた。24年5月の任期満了後も政権を継続。

ウラジーミル・プーチン大統領
2021年に大統領選挙法を改正し、36年（83歳）まで続投可能。24年3月の大統領選挙で通算5期目の当選。

両国の和平の条件

■ウクライナ　ゼレンスキー大統領が掲げる「平和の公式」10項目

①放射線と原子力の安全性	⑥ロシア軍の撤退と交戦の停止
②食料安全保障	⑦正義（戦争犯罪に対しての処罰）
③エネルギー安全保障	⑧環境の即時保護
④すべての捕虜と追放された人々の保釈	⑨エスカレーションの防止（再発、さらなる侵略の拡大の防止）
⑤国連憲章の履行、ウクライナの領土保全と世界秩序の回復	⑩戦争終結の確認

■ロシア
ウクライナが東・南部4州の独立の承認、NATO加盟を断念することなど。

出所：外務省、ウクライナの公式ウェブサイトなどを参考に作成

┃平和に向けた戦い

　2022年2月24日に始まったロシアによるウクライナ侵攻。人口や兵力ではロシアが圧倒するが、ウクライナのゼレンスキー大統領は世界に支援を呼びかけ、日米欧などから支援を受け、応戦を続けている。長引く戦闘に、22年11月のG20にビデオ参加したゼレンスキー大統領は「平和の公式」10項目を提示。「放射線と原子力の安全性」「食料安全保障」などを和平の条件として掲げた。一方、ロシアのプーチン大統領は併合したウクライナ4州の独立の承認などを和平案として挙げている。

　24年6月、スイスで開かれた「世界平和サミット」に92カ国が参加した。ロシアは招待されず中国は不参加。会議後の共同声明で核や食料の安全保障、捕虜の解放などを求めた

クリミア自治共和国：ウクライナ内の自治共和国。2014年に住民投票が実施され、独立を宣言。「クリミア共和国」としてロシア連邦に編入されたが、欧米や日本などの諸外国は独立とロシア編入を認めていない。

ロシアの脅威「NATO」の東方拡大

ロシアは国境を接する国々などの加盟によるNATOの東方拡大に反発。しかし、ウクライナに侵攻後、23年4月にフィンランド、24年4月にスウェーデンが正式加盟した。

米国

カナダ

ウクライナはロシアにとっての緩衝地帯

クリミア半島
2014年3月ロシアがクリミアを編入

旧ソ連から独立した
3カ国はEU加盟を申請
・ウクライナ
・モルドバ
・ジョージア

NATO（北大西洋条約機構）加盟国
■の国＋米国、カナダの32カ国

NATO：1949年に締結。米国とカナダ、欧州諸国によって結成された軍事同盟。当初はソ連中心の共産圏（東側陣営）に対抗する西側陣営の同盟だった。加盟国をNATO全体で防衛する。

食料不足、エネルギー価格高騰の懸念は続く

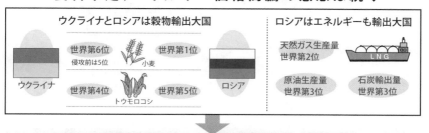

ウクライナとロシアは穀物輸出大国

ウクライナ

世界第6位
侵攻前は5位

小麦
世界第1位

世界第4位

トウモロコシ

世界第5位

ロシア

ロシアはエネルギーも輸出大国

天然ガス生産量
世界第2位

LNG

原油生産量
世界第3位

石炭輸出量
世界第3位

食料安全保障、エネルギー安全保障のシステムの脆弱性に各国が危機感

出所：農林水産省、資源エネルギー庁のウェブサイトなどを参考に作成

が、インドやサウジアラビアなど約10カ国が共同声明の賛同を見送った。ロシアや仲介国を交えた和平交渉が必要だが、実現は多難だ。

8月、ウクライナは国境を接するロシア西部クルスク州への本格的な越境攻撃を開始した。ロシアの侵攻開始以降、最大規模とみられる。

NATOにスウェーデン加入、32カ国に

ロシアの侵攻は、西側の緩衝地帯である

ウクライナへの影響力の保持とNATOの東方拡大阻止に向けたものだった。しかし23年にフィンランド、24年にスウェーデンがNATOに正式加盟し、32カ国に拡大した。

穀物輸出量の多いウクライナと、小麦、エネルギーの輸出大国であるロシアの戦闘は、それらの価格高騰の一因となり、世界経済に影響を与えている。

関連キーワード

ワグネル：ロシアの民間軍事会社。様々な戦闘地で活動。ウクライナには数万の戦闘員を派遣しているとみられる。2023年6月にロシアで武装蜂起したが、わずか1日で終結。23年8月に代表のプリゴジン氏が搭乗していた自家用ジェット機が墜落し、死亡した。

05 ガザ地区

★★★

ポイント 👉
▶ トランプ米前大統領の言動にパレスチナが反発
▶ ハマスのイスラエル急襲をきっかけに戦争状態となる
▶ イスラエル軍のガザ地区侵攻で深刻な人道危機が発生

根深いパレスチナ問題

パレスチナ
（パレスチナ自治政府）

イスラエル

パレスチナ	イスラエル
・この地はもともとアラブ人が暮らしていた ・国連のパレスチナ分割決議はユダヤ人に有利なもので、受け入れられない ・エルサレムはイスラム教の聖地である	・この地はもともとユダヤ人が暮らしていた「約束の地」である ・ユダヤ人は長く迫害されており、この地に自分たちの国家を築く必要がある ・エルサレムはユダヤ教の聖地である

対立

1993年　オスロ合意
2014年　パレスチナ統一政府が発足

（しかしながら）

ファタハとハマスは対立。ハマスとイスラエルの武力衝突も続く……

（そんな中）

2017年　トランプ米前大統領がエルサレムをイスラエルの首都と認定。18年に大使館移転

米国

パレスチナ側の抗議デモ発生。イスラエル治安部隊と衝突。中東和平は遠のく……

2020年　アラブ諸国がイスラエルと国交正常化へ
2021年　エルサレムやガザ地区での大規模衝突が度々発生した

> パレスチナには、主流派・穏健派の「ファタハ」と、イスラム原理主義組織の「ハマス」がある。その両者が合流

パレスチナ自治区
（ヨルダン川西岸地区とガザ地区）

※ヨルダン川西岸地区にはユダヤ人居住地も多くある。

エルサレムは、ユダヤ教、キリスト教、イスラム教の聖地。第3次中東戦争で、イスラエルが占拠し、首都と宣言したが、国際的には認められていない。日本はテルアビブに大使館を置いている。

紛争の絶えないパレスチナのガザ地区

　ガザ地区とはパレスチナ自治区を構成する2つの地域の1つ。イスラエルが築いた長いフェンスで遮断されていることから、「天井のない監獄」と呼ばれる。実効支配しているのは、イスラム原理主義組織ハマスだ。

　パレスチナでは、長らく宗教問題と領土問題が複雑に絡みあい、紛争が絶えない。1948

年にイスラエルが建国されてからは、その地域に居住していた多くのパレスチナ人が難民となり、限られた地域での生活を余儀なくされた。そんな中、93年のオスロ合意により、パレスチナ暫定自治政府が樹立し、イスラエルとパレスチナの和平交渉が行われた。

　しかし、その後も対立は続き、2017年、トランプ米前大統領がエルサレムをイスラエルの

関連キーワード
ハマス：「ムスリム同胞団」を母体に設立された、反イスラエルのイスラム原理主義組織。アハメド・ヤシンが創設した。2006年の議会選挙でそれまで主流派だったファタハにかわって第一党となったのち、07年にはガザ地区を制圧し、実効支配を開始した。

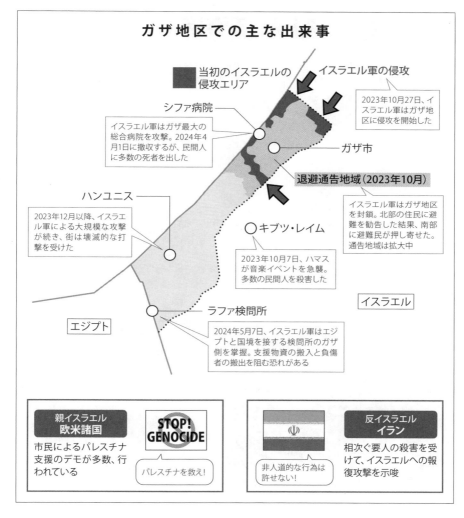

ガザ地区での主な出来事

■ 当初のイスラエルの侵攻エリア

イスラエル軍の侵攻
2023年10月27日、イスラエル軍はガザ地区に侵攻を開始した

シファ病院
イスラエル軍はガザ最大の総合病院を攻撃。2024年4月1日に撤収するが、民間人に多数の死者を出した

ガザ市

退避通告地域（2023年10月）
イスラエル軍はガザ地区を封鎖。北部の住民に避難を勧告した結果、南部に避難民が押し寄せた。通告地域は拡大中

ハンユニス
2023年12月以降、イスラエル軍による大規模な攻撃が続き、街は壊滅的な打撃を受けた

キブツ・レイム
2023年10月7日、ハマスが音楽イベントを急襲。多数の民間人を殺害した

イスラエル

エジプト

ラファ検問所
2024年5月7日、イスラエル軍はエジプトと国境を接する検問所のガザ側を掌握。支援物資の搬入と負傷者の搬出を阻む恐れがある

親イスラエル 欧米諸国
市民によるパレスチナ支援のデモが多数、行われている

STOP! GENOCIDE
パレスチナを救え！

反イスラエル イラン
相次ぐ要人の殺害を受けて、イスラエルへの報復攻撃を示唆

非人道的な行為は許せない！

首都と認めたため事態が緊迫。21年5月にはエルサレムやガザ地区での大規模な衝突が起き、和平はさらに遠のいた。

ハマスの急襲にイスラエルが応酬

23年10月、ハマスはイスラエルへの大規模攻撃を行い、民間人を多数殺害・拉致した。これに対し、イスラエルは空爆などで応酬し、以降、戦争状態に陥っている。

イスラエル軍はガザ地区を封鎖したため、生活必需品が不足した状態が続いている。このような人道危機に対し国際的な非難が集中する中、イスラエルは南部のラファ地区への攻撃を激化させた。

24年5月には国際司法裁判所（ICJ）が、ガザ南部ラファへの軍事侵攻の即時停止を命じたが、イスラエル軍は攻撃を続けた。

関連キーワード

人道危機：自然災害、紛争や産業事故などの人為的な災害が要因で尊厳のある生活を営む権利が侵害され、水・食料、住居などの生活必需品を入手できない状況をいう。医療施設で十分な医療サービスを受けることができないため、多数の住民が命の危機にさらされる。

06 生成 AI と法規制

★★★

ポイント
▶ 生成 AI は画像、動画、音声、プログラムなどを作成可能
▶ 生成 AI の利用は拡大、製品への搭載も進む
▶ 24 年 5 月、EU で AI 規制法が成立した

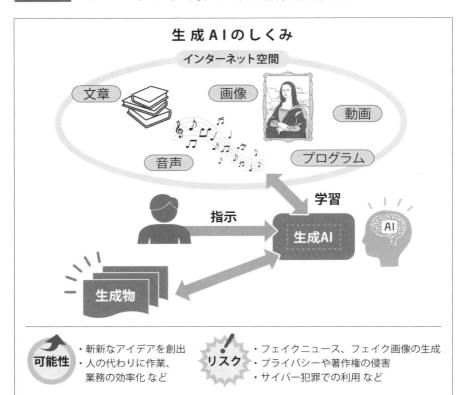

生成 AI のしくみ

インターネット空間

文章　画像　動画　プログラム　音声

指示　学習　生成AI　AI

生成物

可能性
・斬新なアイデアを創出
・人の代わりに作業、業務の効率化 など

リスク
・フェイクニュース、フェイク画像の生成
・プライバシーや著作権の侵害
・サイバー犯罪での利用 など

イラスト：PIXTA

様々な製品に生成 AI が搭載

　生成 AI（人工知能）は、インターネット上で膨大なデータを学習し、人の指示に従って新たな文章や画像、音声、プログラムなどを短時間で作成する。米新興企業オープン AI が 2022 年 11 月末、対話型人工知能（AI）「ChatGPT（チャット GPT）」を公開して以来、様々な分野での活用が急拡大中だ。他社も、グーグル「Gemini（ジェミニ）」、マイクロソフト「Copilot（コパイロット）」などが追随する。

　24 年、生成 AI を搭載するスマートフォンが発売された。これまで生成AIの利用はインターネット上で行うことが一般的だったが、端末内で処理する「オンデバイス AI」の流れが生まれている。また、電気自動車（EV）の普及が進む中国では、車に生成 AI を搭載し製品の「知

関連
キーワード

GPU（画像処理半導体）：米半導体大手のエヌビディアが 1999 年に発明した画像処理用の半導体。当初は画像処理に使われていたが、膨大なデータを処理する点が評価され、AIの学習用に使われるようになった。AI 向け GPU 市場ではエヌビディアがシェア 8 割。

生成AIの広まりとともにルール整備も

■生成AIの活用シーンに広がり

インターネットに接続して生成AIを利用

製品にあらかじめ生成AIが入っている

スマートフォン

車

■主な生成AIの種類

名前	生成するもの	提供企業、開発者
ChatGPT（チャットGPT）	文章	米OpenAI
Copilot（コパイロット）	文章、画像	米Microsoft／米OpenAI
Gemini（ジェミニ）／(旧Bard)	文章、リスト、画像	米Google
Stable Diffusion（ステーブル ディフュージョン）	画像	ミュンヘン大学のCompVisグループ／英Stability AI
DALL-E2（ダリツー）	画像	米OpenAI
VOICEVOX（ボイスボックス）	音声	ヒホ（ヒロシバ）（日本人エンジニア）
Sora（ソラ）	動画	米OpenAI

■ハードローとソフトロー

ハードロー（法規制）　　強 ← 規制の強さ → 弱　　ソフトロー（指針など）

EU	米国	日本
●2024年5月、罰則を伴うAI規制法を制定 ⇒プライバシーなど人権を重視	●2023年10月、AI開発企業に安全面の事前評価を課す大統領令を発令 ⇒自主規制がメインだが、法規制も行う	●2024年4月、AI開発企業などに向けプライバシー保護などを求める「AI事業者ガイドライン」を発表 ⇒原則や指針にとどめる

日本は法規制に消極的だったが、軌道修正へ

これまで…　AI領域のイノベーション推進のため　✕法律で厳しく規制　○法的拘束力のないソフトローで対応　「強い規制は技術革新を阻害する」

これから…　・世界の規制強化の潮流に合わせる　・ソフトローから転換

能化」で他社との差異化を狙う。

EU が AI 規制法を成立、アジアは？

2024 年 5 月、欧州連合（EU）が世界で初めて AI 規制法を成立させた。AI システムの定義や事業者に課す義務、違反者への罰則を定め、26 年の本格的な適用開始を見込む。

日本では 24 年 4 月に AI 事業者に安全性などを求める「AI 事業者ガイドライン」が発表されたが、法的拘束力はない。世界の規制強化の流れの中、政府の AI 戦略会議は 5 月に法規制の検討を開始した。

アジア域内に生成 AI に関する法的な枠組みはまだない。共通のルールがないことがアジアで AI 事業を展開しようとする企業にとって高リスクになるという指摘もあり、アジア地域全体の協議が求められている。

関連キーワード

声の権利：声優や俳優、著名人などの声を無断で生成 AI に学習させ、インターネット上などに発表することが問題となっている。現行の著作権法では声の肖像権は認められていないため、声の権利をどのように守るのか、法的な整備はこれからとなる。

07 経済安全保障

★★★

▶インフラや技術、重要物資の確保など経済面の安全保障
▶2022年5月、経済安全保障推進法が成立
▶「セキュリティー・クリアランス制度」の創設へ

経済安全保障推進法が成立した主な背景

パンデミック、米中対立、ロシア軍事侵攻などの影響

サプライチェーン（供給網）の寸断

↓

重要物資の不足

世界で新型コロナウイルスの感染が拡大した時、マスク不足や、半導体不足による自動車製造の滞りなどが起きた。

企業の被害が増加

サイバー攻撃

↓

工場の停止など

サイバー攻撃による工場の稼働停止、情報漏洩、情報復元のための身代金の要求などが多発（テーマ69参照）。電気・ガスなどのインフラ企業が攻撃にあう脅威も。

使えるようにするには金を払え！

不正調達、技術者の流出

先端技術の情報漏洩

↓

軍事転用や国際競争力の低下

日本の大学などに在籍した留学生が、外国で軍事研究に従事する例がある。また、日本企業が軍事転用可能な高性能モーターを中国企業に輸出する例なども。

半導体不足

技術移転やスパイ活動など安全保障上の問題があるとして、米国が2020年秋、中国の半導体メーカーを排除。台湾メーカー数社に注文が集中し、コロナ禍の半導体不足に拍車がかかった。

他国による技術の不正利用や、経済・生活基盤を脅かすリスクから国家、国民を官民協力して守る

出所：内閣官房のウェブサイト、公安調査庁「経済安全保障の確保に向けて2022～技術・データ・製品等の流出防止～」等を参考に作成

重要物資の確保や先端技術開発を支援

経済安全保障とは、経済・生活基盤を脅かすリスクから国家・国民を守ること。2020年に新型コロナウイルス感染症が世界的流行（パンデミック）となった際に、マスクや医療物資の不足、サプライチェーン寸断による経済活動の滞りなどが問題となった。

新型コロナ禍で停滞していた経済活動が回復し始めた20年秋ごろは、半導体の需要が膨らんだ。そんな折、米国政府がスパイ活動や技術移転など、安全保障上の脅威があるとみなす中国の半導体メーカーとの取引を法的に禁止。世界的な半導体不足が加速した。さらには、他国からのサイバー攻撃や、先端技術の情報漏洩、ロシアに至っては食料や肥料、エネルギーの輸出制限などを武器に世界を揺

関連キーワード

外為法（外国為替及び外国貿易法）：技術の海外流出を防ぐため、海外投資家が日本の重要な技術を擁する企業の株を1％以上取得する場合、政府の審査を必要とする法律。政府が重点的に審査する「コア業種」は、武器や航空機、原子力などに関わる14業種。

経済安全保障推進法の4つの柱

サプライチェーンの強靭化

特定重要物資を扱う企業の
供給確保計画を認定、確保を支援

特定重要物資

抗菌薬	ロボット	クラウドプログラム	半導体
肥料	蓄電池	レアメタル・レアアース	

政府 ← 安定供給に関する **計画書提出** ← 企業など
政府 → **認定や調査** → 企業など
→ 助成金が出る

基幹インフラの安定確保

企業が導入する設備等を
政府が事前審査

対象分野

電気	ガス	石油	貨物自動車運送	
金融	鉄道	空港	クレジットカード	
水道	航空	放送	郵便	情報通信	外航貨物

政府 ← 設備導入の **計画書を提出** ← 企業など
政府 → **事前審査** → 企業など
→ インフラの脆弱性など問題がある場合は勧告、命令

先端技術の開発支援

先端技術の開発を政府の支援の下、
官民で協力して実施

国が財政支援

宇宙開発、人工知能（AI）、
量子技術、情報科学、バイオ技術 など

政府 先端技術開発の協議会 **官民連携** 企業など
専門分野の研究者を募集
→ 参加 → **守秘義務を負う**

特許出願の非公開

公にすると国家・国民の安全を
損なう恐れのある特許出願を非公開に
核開発につながる技術や軍事転用の
恐れのある技術など

政府 ← 軍事転用の可能性のある特許を出願 ← 企業など
政府 → **非公開** → 企業など
→ 特許権収入を補償

■セキュリティー・クリアランス制度のイメージ

政府
分野を指定
「適性評価」交友関係などを調査

安全保障上、重要な情報
・サイバー
・宇宙
・AI
・重要インフラ など

・政府職員
・民間企業の社員など
→ 情報漏洩 **罰則！**

認められればアクセスが可能

出所：内閣官房のウェブサイトなどを基に作成

さぶるなど、安全保障上の脅威が高まっている。

　こうした事態を受けて、22年5月に「サプライチェーンの強靭化」「基幹インフラの安定確保」「先端技術の開発支援」「特許出願の非公開」の4つを柱とする経済安全保障推進法が成立。政府が半導体などの重要物資の調達先を特定の国に過度に依存していないか、インフラ整備に導入する設備に問題がないか、技術移転の懸念がないかなどを調査。同時に、国内での先端技術の開発も支援する。

　22年12月には、半導体など11の特定重要物資を指定した。さらに24年には、安全保障上の機密情報を取り扱う政府職員や民間人などに、その資格を与える「セキュリティー・クリアランス制度」の創設に向けた法律が可決された。

関連キーワード

特定秘密保護法：外国のスパイなどに対して、安全保障についての機密情報をみだりに漏洩させないことを目的とした法律。2014年12月に施行。同法律では、「防衛」「外交」「スパイ活動防止」「テロ防止」の4つに該当する情報が「特定秘密」とされている。

08 半導体産業の国策化

ポイント ★★★
▶ 自動車産業や生成AI市場の高い需要を受け注目が高まる
▶ ラピダスは先端半導体の生産を目指す
▶ 政府は2030年までに合計売上高15兆円を目指す

あらゆる産業を支える半導体

すべての産業

教育　農業

デジタル化は、生成AI市場やIT企業だけでなく、自動車産業などの製造業、サービス業、農業、教育、小売業など、すべての産業を支えている。

デジタル産業

クラウド　サイバーセキュリティー
地域デジタル産業

デジタル産業は、デジタルインフラや半導体などの技術を活用して、社会・経済の重要なインフラを提供している。

デジタルインフラ

通信機器　データセンター　5G

データを収集、伝達し、処理する5G、通信網、データセンターなどのデジタルインフラの重要性が高まっている。

半導体（集積回路）

半導体は、デジタル機器や電化製品には欠かせない。日本は半導体の製造装置やシリコンウエハーの材料の開発に活路を見出す。

日本が誇る高い技術力

半導体はあらゆる産業で使われている

　半導体とは、電気を通す「導体」と、電気を通さない「絶縁体」の中間の性質を持つ物質のこと。半導体は電気抵抗率などの条件を変えることで電流や電圧、周波数をコントロールでき、メモリーやトランジスタ、LEDなど、デジタル機器や電化製品には欠かせない存在となっている。

　半導体は様々な産業と密接に関わっているが、近年、最も注目を集めているのが自動車産業と生成AI市場だ。欧州や米国、インドをはじめ、世界中で半導体産業への巨額投資が進められている。

日本の半導体製造基盤を強化

　日本は1980年代、世界で50%超の半導体のシェアを誇っていたものの、90年代以降は

関連キーワード　**半導体・デジタル産業戦略**：半導体産業の再興を目指して、2021年に経済産業省がまとめたデジタル産業支援についての政策指針のこと。コロナ禍やロシアのウクライナ侵攻によるサプライチェーンの混乱などを受け、23年5月に改定案が提出された。

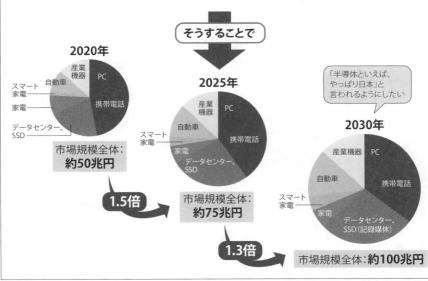

半導体産業、復活への道しるべ

ステップ1 「IoT用半導体」生産基盤の強化

5G促進法など関連する法律を改正。また先端半導体生産基盤整備の基金として、2021年度の補正予算で6170億円を計上するなどした。

ステップ2 日米連携による「次世代半導体」技術基盤

次世代半導体基盤の構築実現に向け、オープンな研究開発拠点を立ち上げる。また、将来の量産体制を見据えて、量産製造拠点を立ち上げる、などの対策を行う。

ステップ3 グローバル連携による将来技術基盤

光電融合技術の研究開発のほか、半導体のサプライチェーンを強靭化し、研究開発をうながすために、他国と連携して取り組むことを目指す。

そうすることで

2020年

スマート家電／家電／データセンター、SSD／自動車／産業機器／PC／携帯電話

市場規模全体：**約50兆円**

1.5倍

2025年

産業機器／PC／自動車／スマート家電／家電／データセンター、SSD／携帯電話

市場規模全体：**約75兆円**

1.3倍

「半導体といえば、やっぱり日本」と言われるようにしたい

2030年

産業機器／PC／自動車／スマート家電／家電／データセンター、SSD（記録媒体）／携帯電話

市場規模全体：**約100兆円**

出所：経済産業省のウェブサイトなどを参考に作成

下降線をたどり、現在は約10％と落ち込んでいる。一方で、技術力が必要な半導体の製造装置やシリコンウエハーなどの材料分野では、日本は依然、高いシェアを占めている。

急速にデジタル社会への移行が進む中、日本政府は半導体を「デジタル社会を支える重要基盤・安全保障に直結する戦略技術」と位置づけ、国内の半導体製造を強化する方針を打ち出した。30年には国内半導体企業の合計売上高を15兆円とする目標を掲げている。また、国内企業8社が出資し、先端半導体の生産を目指す「Rapidus（ラピダス）」への支援は総額9200億円を予定。官民ファンドの産業革新投資機構（JIC）が半導体大手の新光電気工業の買収を予定するなど、国内企業の半導体産業への参入を国が積極的に支援している。

関連キーワード

先端半導体：最新技術を用いて製造され、回路幅が16ナノメートルを下回る半導体。回路幅が狭いほど、演算能力が高い。AIや5G通信、自動運転車などの最先端分野で重要な役割を担っている。なお、先端半導体の製造でトップのシェアを誇るのは台湾である。

09 気候変動・気候危機

★★★

ポイント
▶気候変動による悪影響は国際問題になっている
▶主な要因は温室効果ガスの排出による地球温暖化
▶脱炭素電源への転換や、温暖化の緩和策と適応策が必要

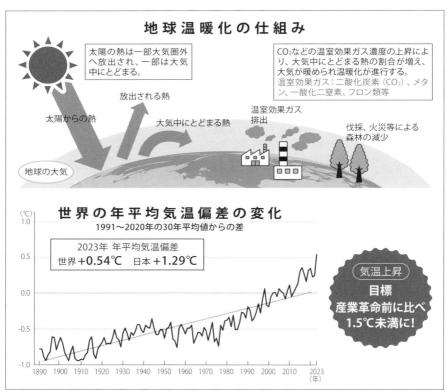

地球温暖化の仕組み

太陽の熱は一部大気圏外へ放出され、一部は大気中にとどまる。

CO_2などの温室効果ガス濃度の上昇により、大気中にとどまる熱の割合が増え、大気が暖められ温暖化が進行する。
温室効果ガス：二酸化炭素（CO_2）、メタン、一酸化二窒素、フロン類等

放出される熱

太陽からの熱

大気中にとどまる熱

地球の大気

温室効果ガス排出

伐採、火災等による森林の減少

世界の年平均気温偏差の変化
1991〜2020年の30年平均値からの差

2023年 年平均気温偏差
世界 +0.54℃　日本 +1.29℃

気温上昇
目標
産業革命前に比べ
1.5℃未満に！

出所：気象庁のウェブサイトを参考に作成

気候変動は人類全体が抱える大問題

　地球の気候システムが大きく変動し、国境を越えて人々の安全を脅かす問題となっている。近年は、豪雨や熱波、それにともなう作物の被害などが身近なものになってきている。この気候変動の大きな要因とされているのが、温室効果ガスによる地球温暖化だ。

　2020年に本格始動した「パリ協定」では、先進国、開発途上国の全ての国が、産業革命前に比べ気温上昇を2℃未満、可能な限り1.5℃未満に抑えることに合意し、各国が脱炭素化などに取り組んでいる。

　IPCC（下記参照）が23年3月に発表した「第6次統合報告書」によると、人間の活動によってすでに1.1℃温暖化し、今後10〜20年のうちに1.5℃に達する可能性があるという。地

関連キーワード

IPCC（国連の気候変動に関する政府間パネル）：気候変動の科学的分析や緩和策、社会や経済への影響など、地球温暖化に関する最新の研究成果をまとめて各国に示す国際組織。世界気象機関（WMO）と国連環境計画（UNEP）により設立された。

地球温暖化が引き起こす主な危機

▶干ばつ、水不足

生活水、食料に影響

雨が少なくなると、深刻な水不足になり、農作物にも影響がある。

▶海水温上昇、雪氷の融解

地表の水没、氷床崩壊

地球全体に蓄積された熱エネルギーの9割を海が吸収し、海水温が上昇。氷床や氷河が溶け、さらに水温上昇により海水が膨張し、海面が上昇する。

▶大雨、ゲリラ豪雨

水害、農作物被害

海水温が上がり、水蒸気が増えて台風や豪雨が頻発。

▶熱波

熱中症、熱射病

人工建造物や舗装道路が気温をより高め、被害を拡大させる。

▶森林火災

二酸化炭素吸収源の減少

早い雪解けや、雨の不足などに伴う森林の乾燥により、火災多発。

温室効果ガス排出量を実質ゼロにする
・脱炭素
・省エネルギー
・循環経済

緩和と適応の2本柱で対策

緩和 **適応**

すでに起こっている気候変動リスクへの備え
・治水・渇水対策
・熱中症予防
・農作物の高温障害対策

激しい気候変化に適応できず、絶滅の危機に瀕している生物種も
IUCN（国際自然保護連合）によると、絶滅危惧種は4万5300種以上になる。

▶ヒートドーム現象

②上空の高気圧が熱い空気に「フタ」をする

①熱い空気が発生

③熱い空気が停滞し、気温上昇

気温50℃以上になることも！

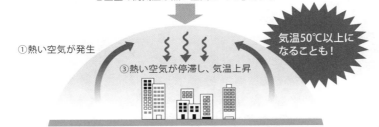

出所：環境省「令和5年版 環境白書・循環型社会白書・生物多様性白書」、気象庁のウェブサイトなどを参考に作成

球温暖化が進むにつれ、気候変動による自然災害は頻度が増し、規模も大きくなっている。日本では24年夏（6〜8月）の平均気温が平年より1.76℃高く、23年と並び過去最高となった。

異常気象を見越した対応を

気候変動には、「緩和」と「適応」の2本柱で対応する。「緩和」は地球温暖化がこれ以上進まないようにする抑制策で、再生可能エネルギーの活用による脱炭素化や省エネルギーの促進など。「適応」はすでに影響を受けている気候変動リスクへの備えとして、異常気象による災害の防止・軽減、水資源の確保など。農業分野では、既存品種から気温上昇に合わせた亜熱帯・熱帯果樹等への転換の検討や、気候変動に対応した品種の開発を進めている。

関連キーワード

海水温の上昇：温暖化が水産資源や漁業にも影響している。海水温の上昇によりブリやサワラなどの分布域が北上したり、海水の酸性化により貝類の殻がもろくなって成長や繁殖が妨げられたりしている。海水の酸性化により海洋のCO_2吸収力の低下も指摘されている。

10 脱炭素とGX（グリーントランスフォーメーション）

★★★

- ▶ 日本は 2050 年までにカーボンニュートラル実現を宣言
- ▶ GX の加速に向けて「GX 推進法」「GX 電源法」が成立
- ▶ GX に必要な資源外交にも取り組む

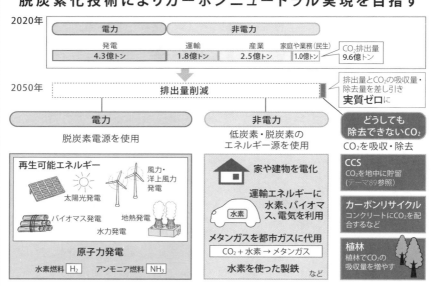

カーボンニュートラル

カーボンニュートラルとは：温室効果ガスの排出量を実質ゼロにすること

日本の目標：2030年までに2013年度比46％削減、2050年までに実質ゼロに！

脱炭素化技術によりカーボンニュートラル実現を目指す

2020年

電力		非電力		
発電	運輸	産業	家庭や業務（民生）	CO₂排出量
4.3億トン	1.8億トン	2.5億トン	1.0億トン	9.6億トン

2050年　排出量削減

排出量とCO₂の吸収量・除去量を差し引き**実質ゼロ**に

電力
脱炭素電源を使用

非電力
低炭素・脱炭素の
エネルギー源を使用

再生可能エネルギー
太陽光発電
風力・洋上風力発電
バイオマス発電
地熱発電
水力発電

原子力発電
水素燃料 H₂　アンモニア燃料 NH₃

家や建物を電化
運輸エネルギーに
水素、バイオマス、電気を利用
メタンガスを都市ガスに代用
CO₂＋水素 → メタンガス
水素を使った製鉄　など

どうしても除去できないCO₂
CO₂を吸収・除去

CCS
CO₂を地中に貯留
（テーマ89参照）

カーボンリサイクル
コンクリートにCO₂を配合するなど

植林
植林でCO₂の吸収量を増やす

出所：資源エネルギー庁のウェブサイトを基に作成

2030 年の CO₂ 排出は 13 年度比 46％削減

地球温暖化が引き起こす危機に対する、世界的な取り組みは、1992 年に採択された気候変動枠組み条約で始まった。気候変動に関する国際的な目標・取り組みを定めたパリ協定は、2015 年末にパリで開かれた COP21 で採択された。日本では、20 年 10 月に菅義偉元首相が 50 年に温室効果ガスの排出量を実質ゼロにするカーボンニュートラルを宣言。その後、30 年の排出目標を 13 年度比 46％減とし、さらに 50％削減の高みを目指すとした。再生可能エネルギーなど脱炭素電源の活用や低炭素エネルギー源の使用で CO₂ を削減するが、完全なゼロは難しく、植林や CO₂ を大気中に排出させない CCS などの取り組みを進めている。

関連キーワード

カーボンプライシング：二酸化炭素（CO₂）の排出に課金し、企業や家庭の排出量削減を促す施策の１つ。排出量の上限（排出枠）を設け、排出量超過や不足分を国同士や企業間で売買することを認める制度。各国で導入が進んでいる。

GX（グリーントランスフォーメーション） 脱炭素 × 経済の成長・発展

技術革新による次世代エネルギーへの転換を通じて、温室効果ガス排出量増加などの環境問題を解決し、持続可能な社会を実現させる。同時に生まれる新しい市場、新しい技術を活用し、経済成長につなげる。

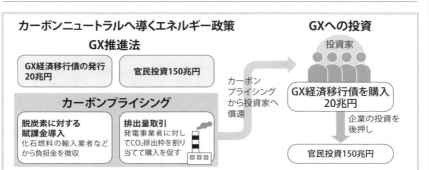

カーボンニュートラルへ導くエネルギー政策

GX推進法

- GX経済移行債の発行 20兆円
- 官民投資150兆円

カーボンプライシング

- **脱炭素に対する賦課金導入**
  化石燃料の輸入業者などから負担金を徴収
- **排出量取引**
  発電事業者に対してCO2排出枠を割り当てて購入を促す

カーボンプライシングから投資家へ償還

GX電源法

- **原発の運転期間の延長**
  「原則40年、最長60年」を60年超に延長
- **再生エネルギー導入のための事業規律強化**

再エネの競争力アップへ！

GXへの投資

投資家

- **GX経済移行債を購入 20兆円**
  企業の投資を後押し
- 官民投資150兆円

脱炭素・GXでエネルギー安全保障に変化

世界が脱炭素、GXに向かう中で、今後需要が増える資源を確保するための資源外交も重要。また、同時に市場形成を進め、日本の産業競争力を確保。戦略的なルール形成や標準化が重要。

■資源外交のための分析対象国25カ国

化石燃料 石油・石炭・天然ガス、CCS適地	新燃料 水素・アンモニア、CR燃料、バイオ等	鉱物 銅、リチウム、ニッケル、コバルト、レアアース等
モザンビーク、パプアニューギニア	—	コンゴ民主共和国、ザンビア、ペルー、マダガスカル
アラブ首長国連邦、オマーン、カタール、タイ		アルゼンチン、チリ、ナミビア、フィリピン、インド
米国、インドネシア、豪州、カナダ、サウジアラビア、ノルウェー、ブラジル、ベトナム、マレーシア、南アフリカ		

出所：資源エネルギー庁ウェブサイト、経済産業省「METI Journal」、環境省ウェブサイトを基に作成

┃GX推進に向け2つの法律が成立

日本ではGX推進に向けて、23年5月に「GX推進法」「GX電源法」が成立。GX推進法では、国債「GX経済移行債」20兆円の発行を決めた。投資家から資金を集め、政府が再生可能エネルギーや水素などに投資し技術開発や設備投資を刺激、10年間で官民150兆円の投資を促す。投資家への償還は、28年度から

の化石燃料の輸入業者などに対する賦課金導入と、33年度からの発電事業者に対する排出量取引の課金を利用する。GX電源法では、原発の運転期間延長などを盛り込み、原発活用を推進する。

GXで必要となる資源確保に向け、資源国との関係構築も重要となり、政府は「GXを見据えた資源外交の指針」を策定した。

関連キーワード

GXリーグ：2050年のカーボンニュートラルに向けて二酸化炭素（CO2）排出量削減目標を高く掲げる企業が参加する、経済産業省が主導する枠組み。参加企業間で脱炭素に関する市場創造や排出量取引などを行う。約600社が参画、23年4月に本格稼働した。

カッコ内に入る言葉を答えよ。

1 2024 年 7 月、日経平均株価は過去最高の（　　　）円台を記録した。

2 米国が主導する月面有人探査計画を（　　　）という。

3 イーロン・マスク氏が CEO を務め、世界のロケット打ち上げの 5 割を占める米国の企業の名称は（　　　）である。

4 ロシアがウクライナに侵攻した理由の 1 つは、欧米諸国によって結成された軍事同盟（　　　）にウクライナが加盟することを阻止するためである。

5 パレスチナ・ガザ地区を実効支配しているイスラム原理主義組織を（　　　）という。

6 2024 年、世界で初めて AI 規制法を成立させたのは（　　　）である。

7 特定重要物資の確保や基幹インフラの安定確保などを目的に、2022 年 5 月に成立した法律は（　　　）法である。

8 国内企業 8 社が出資し、先端半導体の生産を目指す企業の名称は（　　　）である。

9 2016 年に発効した、産業革命からの気温上昇を 2℃未満、できる限り 1.5℃未満に抑えることを目標にした国際的枠組みを（　　　）という。

10 温室効果ガス排出量を減らすために太陽光などのクリーンエネルギーに転換することを経済成長の機会と捉え、経済社会システムを変革することを（　　　）という。

【解答】 1. 4 万 2000　2. アルテミス計画　3. スペース X　4. 北大西洋条約機構（NATO）
5. ハマス　6. 欧州連合（EU）　7. 経済安全保障推進　8. Rapidus（ラピダス）
9. パリ協定　10. GX（グリーントランスフォーメーション）

第 2 章

国際社会・経済

米国と中国は対立を深め、世界の分断は続いている。
国際社会が不安定な状況だ。
グローバル化する社会で、今、何が起きているのか、
またその背景を理解することは重要だ。

11 米国大統領選挙 2024

★★★

ポイント
▶トランプ前大統領とハリス副大統領が候補者
▶争点は「インフレ」「不法移民」「人工妊娠中絶」
▶現職のバイデン大統領は選挙戦から撤退

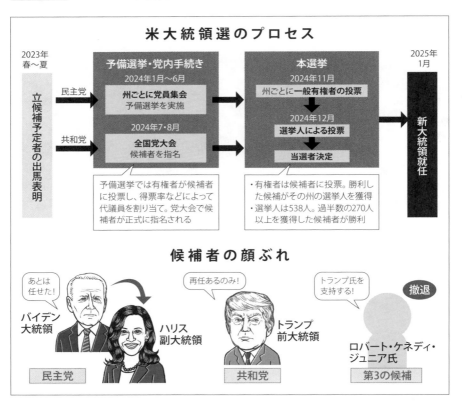

米大統領選のプロセス

2023年
春～夏

立候補予定者の出馬表明

民主党 →

共和党 →

予備選挙・党内手続き
2024年1月～6月

州ごとに党員集会
予備選挙を実施

2024年7・8月

全国党大会
候補者を指名

本選挙
2024年11月
州ごとに**一般有権者の投票**

↓

2024年12月
選挙人による投票

↓

当選者決定

→ 新大統領就任

2025年
1月

予備選挙では有権者が候補者に投票し、得票率などによって代議員を割り当てる。党大会で候補者が正式に指名される

・有権者は候補者に投票。勝利した候補がその州の選挙人を獲得
・選挙人は538人。過半数の270人以上を獲得した候補者が勝利

候補者の顔ぶれ

あとは任せた！
バイデン大統領
ハリス副大統領
民主党

再任あるのみ！
トランプ前大統領
共和党

トランプ氏を支持する！
ロバート・ケネディ・ジュニア氏
第3の候補

撤退

現大統領の撤退でハリス氏が民主党候補に

米国の大統領選は、4年ごとに1年かけて争われる。各候補者が出馬を表明し、予備選挙や党内手続きを経て、本選挙が行われる。

11月の本選挙では有権者が候補者に投票するが、その得票数が結果に直接結びつくわけではない。得票数は州ごとに集計され、多くの州では、勝利した候補がその州の選挙人を

総取りすることができる。その後、選挙人が投票し、総数538人の過半数にあたる270人以上の選挙人を獲得した候補者が当選となる。

2024年の大統領選は、民主党は現職のバイデン大統領、共和党はトランプ前大統領を候補として始まった。しかしトランプ氏が銃撃を受ける事件が発生すると、バイデン大統領は選挙戦からの離脱を発表。民主党は、カマ

関連キーワード **カマラ・ハリス**：女性として、黒人、アジア系として米史上初の副大統領。選挙戦から撤退したバイデン大統領から支持され、民主党の候補者となった。社会的弱者、特に人工妊娠中絶を望む女性の権利の擁護に取り組むなど、多くの黒人女性や若年層に支持されている。

米大統領選の3つの争点

民主党		共和党

ハリス 副大統領

副大統領指名：
ワルツ氏
（ミネソタ州知事）

トランプ 前大統領

副大統領指名：
バンス氏
（上院議員）

1 インフレの長期化対策

民主党
- バイデン政権において、景気は一定の水準を維持しているが、長引くインフレに国民は不満を抱いている

共和党
- インフレ長期化は、バイデン政権の責任だと主張している
- 関税引き上げや減税策を打ち出したが、かえって物価の上昇を招くという見方がある

2 不法移民対策

民主党
- バイデン大統領は、米国民と結婚している不法滞在者を強制送還から保護する新たな政策を発表した
- 規制が手ぬるく治安の悪化を招いているという批判がある

共和党 優勢？
- 「アメリカ・ファースト」で、アメリカ人の雇用を増やすと訴え続けてきた
- 不法移民を大規模送還するといった過激な移民政策を掲げている

3 人工妊娠中絶問題

民主党 優勢？
- 人工妊娠中絶を違法とみなした最高裁判決に反対の立場をとる
- ハリス副大統領は、マイノリティを両親に持ち、社会的弱者からの支持を集める

共和党
- 胎児の命を守る「プロ・ライフ」の姿勢を見せている
- 一方、全米一律の規制ではなく、各州が判断すべきだという考えを示してもいる

ラ・ハリス現副大統領を候補として擁立した。

┃接戦を制するには浮動票の行方がカギ

　大統領選の主な争点は、「インフレの長期化対策」「不法移民対策」「人工妊娠中絶問題」の3つだ。バイデン政権は経済情勢改善の面で一定の評価を得ており、また人工妊娠中絶の権利を擁護する立場をとっているため、この点ではより多くの有権者の共感を得やすい。

　一方、「不法移民の増加」に関しては、規制が手ぬるいという批判があり、トランプ氏に分があるという見方もできる。

　20年の大統領選では、投開票に時間がかかり、バイデン大統領の勝利宣言後もトランプ氏が郵便投票による不正を訴えるなど混乱が起こった。24年の大統領選は、11月5日に投開票、25年1月20日に就任式が行われる。

▶**関連キーワード**

第3の候補：二大政党に属さない候補のこと。今回の選挙の注目は、ロバート・ケネディ元司法長官の息子で、故ケネディ元大統領のおいであるロバート・ケネディ・ジュニア氏だったが、2024年8月に大統領選から撤退。トランプ氏支持を表明した。

12 新冷戦

★★★

- ▶ロシアと、ウクライナを支援する欧米諸国が対立
- ▶ロシアは中国や北朝鮮と関係を強化してけん制
- ▶緊張関係を続ける米中のパワーバランスも影響

新冷戦の最前線はウクライナ

元祖・冷戦は第2次世界大戦後 東側諸国（社会主義）vs 西側諸国（資本主義）

自由主義・民主主義国家

米国 バイデン大統領
「ロシアの思い通りにはさせない！」
リーダー

NATO 欧州諸国 ＋ 日本、韓国、オーストラリア など

対立

ウクライナ
「ロシアと戦うから、助けてほしい！」
ウクライナ ゼレンスキー大統領

権威主義国家

軍事侵攻

ロシア プーチン大統領
「ふたたび世界一の大国に！」
リーダー

包括的戦略パートナーシップ条約

北朝鮮 金正恩（キム・ジョンウン）総書記

「米日韓をけん制したい！」

中国 習近平（シー・ジンピン）国家主席
陰のリーダー

ウクライナを巡りロシアと欧米が対立

新冷戦とは、第2次世界大戦後に東側諸国（社会主義）と西側諸国（資本主義）の間で起こった「冷戦」になぞらえられた対立を指す。対立が深まっているのは、欧米を中心とした自由主義・民主主義国家と、ロシア、中国、北朝鮮などの権威主義国家である。

現在、新冷戦が表面化しているのは、ウクラ

イナである。2022年2月にウクライナに侵攻したロシアに対し、米国をはじめとした北大西洋条約機構（NATO）や欧州連合（EU）、日本などがウクライナを支援する立場をとり、この両陣営が対立している。

さらに、ロシアは中国や北朝鮮と連携を強化している。プーチン大統領は、北朝鮮の金正恩総書記と会談し、24年6月19日に「包括

関連 キーワード

北大西洋条約機構（NATO）：「集団防衛」「危機管理」「協調的安全保障」の3つを中核的任務とする機関。ロシアのウクライナ侵攻を背景に、2023年にフィンランド、2024年にスウェーデンが加わり、2024年7月時点で加盟国は32カ国。

新冷戦の内実は、中国と米国の覇権争い

中国

GDP世界2位

ロシア　北朝鮮

米国

GDP世界1位

日本　韓国　欧州諸国

中国の思惑

・高度経済成長を止めたくない。
・「一帯一路」で貿易を活性化させたい。
・「一帯一路」沿線国の情報技術や通信網の覇権を握り、軍事的に優位に立ちたい。
・ロシアと協力することで、米国をけん制したい。

米国の思惑

・GDPトップの座を明け渡したくない。
・中国との貿易摩擦を解消したい。
・中国に軍事的に優位に立たせるわけにはいかない。
・ウクライナを支援して、ロシアを勝たせないようにしたい。

ほかにも　南シナ海、東シナ海の安全保障問題、新疆（しんきょう）ウイグル自治区やチベット自治区、香港の人権問題、台湾の帰属問題という争点がある。

的戦略パートナーシップ条約」を締結した。これは、一方が武力侵攻を受けた場合、もう一方が軍事力などの援助をするというもので、事実上の軍事同盟といえる。この条約締結からは、ウクライナ侵攻において北朝鮮から軍事的な支援を受けているロシアと、米国と足並みをそろえる日本や韓国をけん制したい北朝鮮の思惑が垣間見える。

もう1つの大国・中国の動向に注目

　新冷戦では、中国の存在を忘れてはならない。NATOの盟主を自認する米国は、2018年の貿易摩擦以来、中国との緊張関係をいまだに続けている。

　中国がさらにロシアに接近するか、米国との関係を改善するか。新冷戦の内実は、中国と米国の覇権争いという見方もできる。

関連キーワード　**貿易摩擦**：貿易が相手国の国内産業と競合することで経済に悪影響を及ぼすなど、両国間に摩擦が生じること。米中間ではトランプ前政権時代に特に表面化し、米国の対中強硬路線は継続中。2023年、米国の貿易総額に占める中国の割合は、18年ぶりの低水準となった。

13 サミット（主要国首脳会議）

★★

▶ 主要国の首脳が国際政治・経済を話し合う会議
▶ G7に新興国を加えたG20の重要性が高まっている
▶ 2024年G7サミットはイタリア・プーリアで開催

G7とG20の参加国

■ G7参加国
□ G20参加国

EUの欧州理事会長および欧州委員会委員長も参加

G8参加停止

ロシア
プーチン大統領

2014年のクリミア半島（ウクライナ領）併合により、G8からロシアを排除

イギリス
ドイツ
フランス
イタリア トルコ
サウジアラビア インド
ロシア
中国 韓国
日本
カナダ
米国
メキシコ

インドネシア

ブラジル

オーストラリア

南アフリカ

アルゼンチン

アフリカ連合がG20に参加

G20は、G7の国々にEU、アルゼンチン、オーストラリア、ブラジル、中国、インド、インドネシア、韓国、メキシコ、ロシア、サウジアラビア、南アフリカ、トルコ、アフリカ連合を加えた20の国・地域のこと。

世界的課題を話し合う会合

　サミットは「頂上」という意味で、世界をリードする主要国のトップが集まることからそう呼ばれる。1975年にオイルショック（石油危機）などの問題を話し合うために開催されたのが1回目。現在のG7のサミットでは、国際的な安全保障の問題や世界経済を中心に、気候変動といった環境問題など、世界全体に関わる問題を話し合う。

　近年は新興国の影響が大きくなり、2008年にG20が創設された。一方で、G7の求心力は弱まっている。14年に、ロシアが強引にクリミア半島を併合した制裁として、残り7カ国がロシアの参加停止を決定。「G8崩壊」と呼ばれたが、ロシアは中国など力のある新興国に接近し、G7以外でまとまろうとしている。

関連キーワード　**主要7カ国（G7）財務大臣・中央銀行総裁会議**：G7の財務大臣と中央銀行総裁のほか、欧州中央銀行（ECB）や、世界銀行、国際通貨基金（IMF）など国際金融機関の代表が参加し、国際金融システムなど、世界の経済安定に向けた議論を行う。G20、G10などもある。

主要7カ国首脳会議（G7イタリア・プーリアサミット）の概要

■会合テーマ

❶ アフリカ、気候変動、開発

❷ 中東情勢

❸ ウクライナ情勢

❹ 移住　移民送出国、通過国、受け入れ国の問題

❺ インド太平洋、経済安全保障

❻ 人工知能（AI）、エネルギー／アフリカ、地中海

> ローマ教皇がG7サミットに初めて出席
> 「AIの利用に国際的なルールを！」

■首脳宣言のおもな内容

ウクライナ情勢

- ウクライナへ500億ドルの追加融資。ロシアの凍結資産の運用収益で返済に充てる枠組みを設ける
  ※日本は軍事目的に使用されない形での融資を検討する
- ロシア取引に関与する中国などの海外金融機関への制裁を拡大する
- 軍民両用資材のロシアへの移転停止を中国に要求する

経済安全保障

- 中国の過剰生産の問題について、G7外の国と対話を進める
- 中国に重要鉱物の輸出規制を控えるよう求める

インド太平洋

- 中国の南シナ海や東シナ海での海洋進出に強い懸念を示す

中東情勢

- バイデン米大統領による、パレスチナ自治区ガザの新たな停戦案を支持する

AI

- 国際的なルール作りを目指す「広島AIプロセス」の議論を進める

■G7イタリア・プーリアサミット招待国

アルジェリア	アルゼンチン	ブラジル	ゲスト
インド（G20議長国）	ヨルダン	ケニア	ゼレンスキー ウクライナ大統領
モーリタニア（アフリカ連合（AU）議長国）		チュニジア	
トルコ	アラブ首長国連邦	バチカン・フランシスコ教皇	G7にローマ教皇が初めて出席

出所：外務省のウェブサイトなどを参考に作成

┃ウクライナへの追加融資を決定

　24年は6月にイタリア・プーリアでG7サミットが開かれた。人工知能（AI）がテーマの会合にはローマ教皇が初参加し、軍事利用などの懸念から国際ルールの必要性を訴えた。議論の成果をまとめた首脳宣言では、ウクライナへの500億ドルの追加融資が発表された。欧米などが凍結した総額3000億ドルのロシ

ア資産を活用した仕組みを立ち上げる。

　G7サミットの直後、ウクライナが提唱する和平案を話し合う「世界平和サミット」の初会合がスイスで開かれた。しかし、共同声明への賛同は参加92カ国中、約80カ国にとどまり停戦協議の道筋の困難さがあらわになった。

　G20サミットは24年11月にブラジルで開催。25年のG7サミットはカナダが議長国となる。

関連キーワード　**G20サミット（20カ国・地域首脳会議）**：世界経済の成長を目的に、G7に新興国を加えたG20の首脳が参加する国際会議。正式名称は「金融・世界経済に関する首脳会合」。参加国のGDPは世界の8割以上を占める。

14 世界の分断と国際枠組み

★★★

▶ロシアのウクライナ侵攻を巡り、国連決議が分断
▶ガザ地区停戦を呼び掛ける安保理決議も割れる
▶日米欧と、ロシア、中国の対立構図が続く

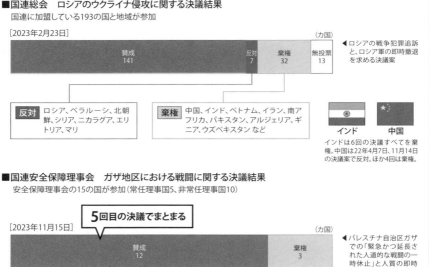

国連決議で分断が継続

■国連総会　ロシアのウクライナ侵攻に関する決議結果
国連に加盟している193の国と地域が参加

［2023年2月23日］　　　　　　　　　　　　　　　　　　　（カ国）

| 賛成 141 | 反対 7 | 棄権 32 | 無投票 13 |

◀ロシアの戦争犯罪追訴と、ロシア軍の即時撤退を求める決議案

反対 ロシア、ベラルーシ、北朝鮮、シリア、ニカラグア、エリトリア、マリ

棄権 中国、インド、ベトナム、イラン、南アフリカ、パキスタン、アルジェリア、ギニア、ウズベキスタン など

インド　中国

インドは6回の決議すべてを棄権。中国は22年4月7日、11月14日の決議案で反対。ほか4回は棄権。

■国連安全保障理事会　ガザ地区における戦闘に関する決議結果
安全保障理事会の15の国が参加（常任理事国5、非常任理事国10）

5回目の決議でまとまる

［2023年11月15日］　　　　　　　　　　　　　　　　　　　（カ国）

| 賛成 12 | 棄権 3 |

◀パレスチナ自治区ガザでの「緊急かつ延長された人道的な戦闘の一時休止」と人質の即時解放を求める決議案

賛成 常任理事国2：中国、フランス
非常任理事国10：アルバニア、ブラジル、エクアドル、ガボン、ガーナ、日本、マルタ、モザンビーク、スイス、アラブ首長国連邦（UAE）

棄権 常任理事国3：ロシア、英国、米国

出所：国連、外務省のウェブサイトなどを参考に作成

国際平和と安全を維持する国連で分断

　国際平和と安全の維持を目指す国際組織・国際連合。2022年2月のロシアによるウクライナ侵攻後、国連ではロシア軍の即時撤退を求める決議案が採択されたが法的拘束力はなく、事態は変わらなかった。その後、5回の緊急特別会合では各国の外交姿勢が鮮明となった。ベラルーシや北朝鮮は反対、アフリ

カ諸国や中央アジアなどグローバルサウスの国々の多くは棄権に回った。

　23年10月、イスラエル軍とイスラム組織ハマスの衝突が起こった。国連安全保障理事会（安保理）は緊急会合を開き、ガザ地区の戦闘に関する決議案を話し合ったが、対立関係にある米国やロシア、中国が拒否権を行使したため決議はまとまらなかった。23年11月、

民主主義サミット：米国のバイデン大統領が主導する民主主義国家の結束を高めるオンライン形式のサミット。第1回は2021年12月に約111の国と地域、第2回は23年3月に120の国と地域が参加した。中国とロシアは招待されていない。

国際枠組みが広がる

- 色文字はロシアへの制裁を課している国で、ロシアが「非友好国」に指定している。

グローバルサウス（テーマ15参照）の存在感高まる

G20

G7
G7
法の支配に基づく国際秩序を守り抜く

- 日本
- 米国
- ドイツ
- 英国
- フランス
- イタリア
- カナダ

核開発を巡り対立

BRICS

- ブラジル
- ロシア
- インド
- 中国
- アラブ首長国連邦（UAE）
- 南アフリカ共和国
- サウジアラビア※

国交正常化
イランとサウジアラビアは、2016年から断交していたが、23年3月、中国・北京にて、中国の仲介で国交を正常化した。

- イラン
- エジプト
- エチオピア

- アルゼンチン
- オーストラリア
- インドネシア
- メキシコ
- 韓国
- トルコ
- 欧州連合（EU）
- アフリカ連合（AU）

BRICSへ加盟を申請
- タイ
- マレーシア

※正式加盟はしていない

NEW 欧州政治共同体（EPC）

44カ国が参加
2022年10月に首脳が初会合

フランス マクロン大統領が提唱

EU27カ国
＋
英国、ウクライナ、トルコ、セルビア、ノルウェー、スイス、アルメニア、アゼルバイジャン など

G7は結束してウクライナ支援

戦闘

ウクライナ ゼレンスキー大統領

戦闘終結に向けて協力

上海協力機構（SCO）
軍事協力や経済問題を話し合う

中国 習近平 国家主席

ロシア プーチン大統領

インド モディ首相

- ウズベキスタン
- カザフスタン
- パキスタン
- タジキスタン
- キルギス
- イラン

5回目の会合でようやく、ガザ地区の戦闘一時休止を要請する決議案が採択された。採択に必要な9カ国以上からの賛成票を得た上で、常任理事国が拒否権の行使を見送った。

欧州を中心に新たな協力体制

世界の分断が懸念される中で、より大きくまとまろうとする動きもある。BRICSには24年に5カ国が加わった。さらにタイ、マレーシアがBRICSへの加盟を申請し、拡大が続く。フランスのマクロン大統領は、欧州連合（EU）27カ国に加えて英国やスイス、バルカン諸国など44カ国による「欧州政治共同体（EPC）」を呼び掛け、より大きな枠組みで協力し合い、中ロへの対抗姿勢を見せる。G20には新たにアフリカ連合（AU）が加盟した。

関連キーワード　　**国連総会**：国連の安全保障理事会で検討中の議題を除き、世界的な問題に関して討議・勧告を行うことができる。安全保障理事会は平和と安全保障の問題を取り扱う。

15 グローバルサウス

★★

▶南半球に位置する新興国や途上国の総称
▶人口で先進国を圧倒、GDP成長率も伸びている
▶対立するG7、中ロはグローバルサウスへの関与を強化

グローバルサウスの国々

定義はないが、南半球に位置しグローバルサウスと呼ばれる国々

■世界の人口ランキング（2023年推計）

2023年に
インドが
人口世界一に！

米国がG7で唯一
トップ10にランクイン

順位	国名	推計人口
1	インド	14億3170万人
2	中国	14億2426万人
3	米国	3億4247万人
4	インドネシア	2億8002万人
5	パキスタン	2億4567万人

順位	国名	推計人口
6	ナイジェリア	2億2549万人
7	ブラジル	2億1070万人
8	バングラデシュ	1億7042万人
9	ロシア	1億4567万人
10	メキシコ	1億2917万人

日本は12位

出所：国連「World Population Prospects 2024」

貧困、教育格差の問題も抱える

　グローバルサウスは、北半球の南部と南半球に位置する新興国や途上国の総称。北半球の先進国（グローバルノース）との対比で用いられることが多い。グローバルサウスには、東南アジアやインド、アフリカ、中南米、中央アジア、太平洋島しょ国などが含まれる。人口が増加傾向にあり、経済の発展が見込まれる一方、貧困、教育の格差、健康問題、環境汚染、民族対立などの問題を抱えた国も多くある。人口の増加では、少子高齢化・人口減少に向かう先進国を圧倒する。

中立を保ち自国の立場を守る

　ウクライナに侵攻したロシアと海洋進出を続ける中国と、主要7カ国（G7）や欧州連合（EU）、北大西洋条約機構（NATO）加盟国、

関連キーワード　**Quad（日米豪印戦略対話）**：日本、米国、オーストラリア、インドの4カ国の首脳や外相が、インド太平洋地域の経済や安全保障を協議する枠組みを通称「Quad（クアッド）」と呼ぶ。「自由で開かれたインド太平洋」を共通ビジョンとしている。

人口、経済ともに存在感が高まるグローバルサウス

人口ではグローバルサウスが世界をリードするG7を圧倒し、市場としての魅力も高まる。

■世界でのG7の人口の割合（2023年）

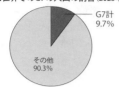

- G7計 9.7%
- その他 90.3%

世界全体（約80億人）のうち、G7の人口は約10%。

出所：国連「World Population Prospects 2024」

■中国及びグローバルサウスの人口動態予測

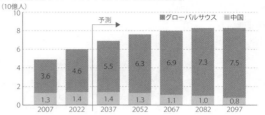

（10億人）

	2007	2022	2037	2052	2067	2082	2097
グローバルサウス	3.6	4.6	5.5	6.3	6.9	7.3	7.5
中国	1.3	1.4	1.4	1.3	1.1	1.0	0.8

予測

■世界でのGDPの割合（2023年）

- その他 55.3%
- G7計 44.7%

2000年代前半にはG7が世界の6割台半ばを占めていたが、新興国の成長などで低下。それでも世界経済の4割以上を占めている。

出所：外務省のウェブサイト

■中国及びグローバルサウスの年平均名目GDP成長率の変化

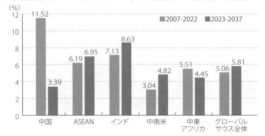

（%）

	2007-2022	2023-2037
中国	11.52	3.39
ASEAN	6.19	6.95
インド	7.13	8.63
中南米	3.04	4.82
中東アフリカ	5.51	4.45
グローバルサウス全体	5.06	5.81

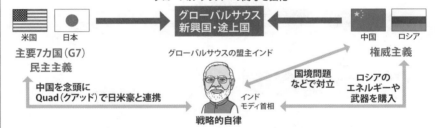

グローバルサウスへの関与を強化

主要7カ国（G7） 民主主義
米国 日本

→ グローバルサウス 新興国・途上国 ←

中国 ロシア 権威主義

グローバルサウスの盟主インド
インド モディ首相
戦略的自律

中国を念頭にQuad（クアッド）で日米豪と連携

国境問題などで対立

ロシアのエネルギーや武器を購入

出所：「中国及びグローバルサウスの人口動態予測」「年平均名目GDP成長率の変化」は経済産業省「通商白書2023」を基に作成

オーストラリアなどの西側諸国の間で対立の構図が強まった。西側諸国は国際秩序を守るためにも、グローバルサウスの国を西側陣営に取り込む必要があるが、グローバルサウスの中にはどちらにもくみさず中立的な立場を取り、自国にとっての利益を守る国も少なくない。その中でリーダー的な立場を取るのが、世界一の人口を抱え、2022年名目国内総生産（GDP）が英国を抜いて世界5位となったインド。23年1月には125カ国の代表が集まったオンライン会合「グローバルサウスの声サミット」を開き、モディ首相は演説で「人類の4分の3が私たちの国に暮らしている」と存在感をアピールした。戦略的自律を謳うインドは、各国の主義・主張を超えて連携し、世界で重要な国の1つになっている。

関連キーワード

TICAD（アフリカ開発会議）：3年に1度、日本政府の主導のもと、国連や世界銀行、アフリカ連合委員会などとともに開催する、アフリカ地域の開発をテーマとした国際会議。TICADは Tokyo International Conference on African Development の略。

16 中国の覇権主義

▶中国が南シナ海の南沙諸島を埋め立て、人工島を建設
▶「一帯一路」でインフラ投資、「親中国」の拡大を図る
▶中国政府が南シナ海や係争地域を自国の領土とした地図を公表

各国が主張する南シナ海の海域

1946年
中国が接収、51年に領有権を主張

1969年
天然資源をめぐる各国と対立激化

1974年、1988年
74年に西沙諸島、88年に南沙諸島の領有権をめぐりベトナムと争い、ともに中国が実効支配

1995年
南沙諸島ミスチーフ礁に建造物をつくり、フィリピンと対立

2016年
国際紛争を解決する常設仲裁裁判所は、南シナ海での中国の管轄権を認めず

2018年、2020年
18年に7つの人工島を完成。20年に2諸島に新行政区の設置を発表

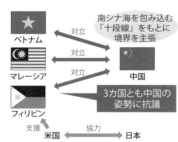

太平洋の島は中国との関係強化

中国とソロモン諸島が安全保障協定締結

ソロモン諸島は2019年に台湾と断交し、中国と国交を樹立。22年4月には、中国と安全保障協定を締結した。太平洋の島しょ国における中国の影響力増大の懸念が高まる

出所:防衛省のウェブサイトなどを参考に作成

中国の海洋進出

中国が世界各地で勢力を強める動きをしている。中国政府は、2023年8月に新しい地図を公表。ベトナム、マレーシア、フィリピンなどが領有権を主張している南シナ海のほぼ全域を自国の領土・領海として記し、領有権を主張するために引いた独自の「九段線」を、台湾東部にまで拡大し「十段線」とした。中国とインドの国境などの係争地域も、自国領と記し、関係する各国の反発を招いている。

中国は南シナ海の西沙諸島、南沙諸島に行政区「西沙区」「南沙区」を設置、西沙諸島には軍事拠点を整備して実効支配。南シナ海は重要な海上輸送路で、地下資源が豊富なことから、周辺諸国との対立が続いている。

フィリピンは、南シナ海アユンギン礁の軍

関連キーワード　**国連海洋法条約**：1982年採択。94年発効。領海や海峡、排他的経済水域、公海などが規定されている。隣国で排他的経済水域が重なったときは、双方の合意によって範囲を定めることになっているが、南シナ海問題のように調整が進んでいないケースもある。

一帯一路とAIIB

日米はアジア・太平洋地域の発展を支援するアジア開発銀行（ADB）を主導する。

一帯一路構想を実現するため、中国がAIIBを主導し、強い影響力を持つ国際金融機関にしたい

中国　習近平国家主席

一帯一路…かつて中国と欧州を結んでいた2つの交易路のこと。「一帯」が陸のシルクロード、「一路」が海のシルクロードを表す。これを現代に再現し、より大きな市場をつくろうとしている

陸のシルクロード ＝ **一帯**

モスクワ
ロッテルダム
ヴェニス
イスタンブール
アテネ
ウルムチ
西安
コルカタ
福州
北海
ハノイ
広州
コロンボ
ナイロビ
クアラルンプール
ジャカルタ

一路 ＝ 海のシルクロード

アジアインフラ投資銀行 AIIB　世界銀行やアジア開発銀行では満たせないアジアへのインフラ投資を目的とした国際金融機関。「一帯一路」計画を金融面から支えている。資本金の出資比率約30％を持つ中国が主導、議決に対する拒否権も持つ

一帯一路　参加国の例

中国・パキスタン経済回廊（CPEC）	中国・ミャンマー経済回廊（CMEC）	イタリア
パキスタン西部の発電所建設や港湾の整備など、大規模インフラ整備事業。	中国西南部からミャンマー西部のインド洋沿岸部までを結ぶ鉄道や高速道路の敷設。	G7メンバーで唯一、一帯一路に協力する覚書を中国と交わしていたが2023年12月離脱。

拠点への補給活動などに対する中国の妨害活動を非難している。24年6月には、中国海警局とフィリピンの船が衝突し、フィリピン兵士が負傷した。その後も二国の衝突は続き、対立は厳しくなっている。

中国が主導する一帯一路

中国は13年に広域経済圏構想「一帯一路」を提唱。中国と欧州を結ぶ陸路「一帯」と、海路「一路」からなり、そのルート上にある国々の港湾や鉄道などを整備することによって、中国が主導する巨大経済圏を実現する狙いがある。その資金は中国の国有銀行や、中国政府が一帯一路のために設立した「シルクロード基金」、アジアインフラ投資銀行（AIIB）などから主に調達されている。AIIBの加盟国は100を超えるが、米国と日本は未加盟である。

▶ **関連キーワード**　**運営権の譲渡**：中国の融資で整備されたスリランカのハンバントタ港は、スリランカ政府が返済困難のため運営権を2017年7月から99年間中国に譲渡。また、中国国有企業がギリシャ最大の港・ピレウス港の経営権を取得するなど、一帯一路による中国の影響力が強まっている。

17 国際連合

ポイント ★★★
- ▶国際平和と安全の維持を目指す国際組織
- ▶第2次大戦時の国際連盟の反省を踏まえて発足した
- ▶国連総会のほか、安全保障理事会などの機関がある

安 全 保 障 理 事 会

平和と安全の維持を目的とした組織。加盟国は、総会の決議には従う義務はないが、安保理の決定には従う義務があるなど、特に強い権限を持つ。

常任理事国（5カ国）

恒久的な地位を持つ5カ国。安保理の議案に対する拒否権がある。1カ国でも反対したら、議案は成立しない。

米国	英国	フランス	ロシア	中国

非常任理事国（10カ国）

任期は2年。全加盟国の秘密投票で選出される。毎年半数が改選される。アジア2カ国、アフリカ3カ国、ラテンアメリカ2カ国、東欧1カ国、西欧その他2カ国から選ばれる。

日本※	韓国	アルジェリア	モザンビーク※	シエラレオネ
アジア			アフリカ	

エクアドル※	ガイアナ	スロベニア	マルタ※	スイス※
ラテンアメリカ		東欧	西欧	

※の付いている国の任期は2024年末まで。25年1月から、デンマーク、ギリシャ、パナマ、パキスタン、ソマリアが加わる。

世界平和を維持する国際組織

国際連合は、かつて国際連盟が第2次世界大戦を防げなかったことの反省からスタートした。1945年10月に51カ国で設立。日本は56年に加盟した。加盟国数は、2011年の南スーダン加盟で193カ国になった。

国連は国連総会を中心として、安全保障理事会（安保理）や国際司法裁判所のほか、目的に応じた専門機関などからなる。総会は、全加盟国が1国1票の投票権を持ち、国連の活動範囲すべての議題について討議する。日本は23年から2年間、安保理非常任理事国を務める。

国連の果たす役割

国連の最大の役割は、安保理による平和と安全の維持だ。他国への侵略など世界平和を

関連キーワード

拒否権：安全保障理事会の常任理事国が有する、1国でも反対すれば決議の承認を拒否できる権利。このように常任理事国は大きな力を持つため、常任理事国の拡大を求める声がある。日本も、ドイツ・ブラジル・インドとともに、常任理事国入りを目指している。

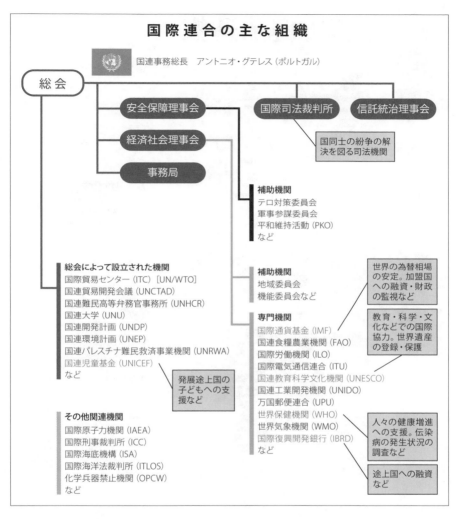

国際連合の主な組織

国連事務総長　アントニオ・グテレス（ポルトガル）

総会

安全保障理事会　国際司法裁判所　信託統治理事会

経済社会理事会

事務局

国同士の紛争の解決を図る司法機関

補助機関
テロ対策委員会
軍事参謀委員会
平和維持活動（PKO）
など

総会によって設立された機関
国際貿易センター（ITC）［UN/WTO］
国連貿易開発会議（UNCTAD）
国連難民高等弁務官事務所（UNHCR）
国連大学（UNU）
国連開発計画（UNDP）
国連環境計画（UNEP）
国連パレスチナ難民救済事業機関（UNRWA）
国連児童基金（UNICEF）
など

補助機関
地域委員会
機能委員会など

専門機関
国際通貨基金（IMF）
国連食糧農業機関（FAO）
国際労働機関（ILO）
国際電気通信連合（ITU）
国連教育科学文化機関（UNESCO）
国連工業開発機関（UNIDO）
万国郵便連合（UPU）
世界保健機関（WHO）
世界気象機関（WMO）
国際復興開発銀行（IBRD）
など

世界の為替相場の安定。加盟国への融資・財政の監視など

教育・科学・文化などでの国際協力。世界遺産の登録・保護

発展途上国の子どもへの支援など

人々の健康増進への支援。伝染病の発生状況の調査など

途上国への融資など

その他関連機関
国際原子力機関（IAEA）
国際刑事裁判所（ICC）
国際海底機構（ISA）
国際海洋法裁判所（ITLOS）
化学兵器禁止機関（OPCW）
など

脅かす国に対して、経済封鎖や軍事的措置などを決議する。紛争が収まった後も国連平和維持活動（PKO）によって、停戦協定、選挙の監視、復興支援などを行っている。しかし、安保理の常任理事国であるロシアが、ウクライナに侵攻。緊急特別会合で即時撤退が採決されるも、法的拘束力がなく実現していない。

23年11月の安保理で、パレスチナ地区ガザの「戦闘休止」を要請する決議案が5回目で初採択された。対立関係にある米国やロシア、中国が拒否権を行使し否決が続いていた。

また、経済、文化、環境、人権など、様々な分野で人々の生活の向上を目指すことも国連の大きな役割だ。これらは、世界保健機関（WHO）、国際通貨基金（IMF）などの専門機関を通じて行われる。

関連キーワード　**日米韓首脳会談**：2023年8月に米国でバイデン大統領、岸田首相、韓国の尹錫悦（ユン・ソンニョル）大統領が、首脳会談を開き防衛面などでの協力を深めると発表。24年から国連の安保理に日米韓が揃うことから、北朝鮮を念頭に国連での連携を強化していく。

世界の経済連携

▶地理的、経済的に関係の深い国・地域同士が協定締結
▶協定国・地域間では、商品、資金、人の移動がスムーズに
▶インド太平洋経済枠組み（IPEF）の供給網協定は世界初

ＦＴＡとＥＰＡ

FTA：自由貿易協定
Free Trade Agreement
特定の国や地域の間で、物品の関税
やサービス、貿易の障壁などを削減・
撤廃することを目的とする。

EPA：経済連携協定
Economic Partnership Agreement
貿易の自由化に加え、投資、人の移動、
知的財産の保護や競争政策における
ルール作り、様々な分野での協力の要
素等を含む、幅広い経済関係の強化
を目的とする。

EPAの方が、より
広範な分野での
協力体制となる

日本のFTA/EPA取り組み状況

※GCC：湾岸協力会議（Gulf Cooperation Council）。2024年中に交渉を再開予定

出所：外務省ウェブサイトを参考に作成

貿易の自由化、共同投資へ

　国境を越えて商品や資金、人の流れをスムーズにしたり、複数国で共同投資をしたりする協定の締結や共同体の設立が進んでいる。

　2018年12月、日本やチリなど太平洋を囲む11カ国による包括的・先進的環太平洋経済連携協定（CPTPP）が発効。モノの関税だけでなく、金融サービスや電子商取引など幅広い分野でルールを構築。19年2月には、日本とEUとのEPAが発効、世界貿易の約4割を占める巨大貿易圏が誕生した。20年1月に日米貿易協定、21年1月には、EUを離脱した英国と日英EPAを発効。23年7月には、英国のCPTPP加盟が正式に承認された。

供給網に関する初の国際協定

　ASEANが提唱し15カ国が参加するRCEP（東

世界貿易機関（WTO）：1995年に発足した、自由貿易のルール作りのための国際機関。加盟国・地域が164に増え、全会一致を原則とするルール作りが難しくなってきている。代わって、2国間の自由貿易協定（FTA）を結ぶ動きが活発化している。

重要テーマセレクト10

国際社会・経済

国内政治

日本経済

業界・企業

労働・雇用

テクノロジー

社会・環境

経済の基礎知識

主な経済協力の枠組み

EU（欧州連合）

経済通貨統合、外交政策、警察・刑事司法協力など、幅広い分野で協力を進める。27カ国が参加。

ベルギー、ブルガリア、チェコ、デンマーク、ドイツ、エストニア、アイルランド、ギリシャ、スペイン、フランス、クロアチア、イタリア、キプロス、ラトビア、リトアニア、ルクセンブルク、ハンガリー、マルタ、オランダ、オーストリア、ポーランド、ポルトガル、ルーマニア、スロベニア、スロバキア、フィンランド、スウェーデン

APEC（アジア太平洋経済協力会議）

アジア太平洋地域の21の国と地域が参加する経済協力の枠組み。

オーストラリア、ブルネイ、カナダ、チリ、中国、香港、インドネシア、日本、韓国、マレーシア、メキシコ、ニュージーランド、パプアニューギニア、ペルー、フィリピン、ロシア、シンガポール、チャイニーズ・タイペイ、タイ、米国、ベトナム

ASEAN（東南アジア諸国連合）

東南アジア10カ国の地域協力連合で、過去10年間に高い経済成長を実現している。

タイ、インドネシア、シンガポール、フィリピン、マレーシア、ブルネイ、ベトナム、カンボジア、ミャンマー、ラオス

RCEP
（東アジアの地域的な包括的経済連携）

2011年にASEANが提唱。13年より交渉を開始し、以下の15カ国が20年11月に署名。日本を含め批准した10カ国で22年1月に発効。

日本、中国、韓国、オーストラリア、ニュージーランド、ASEAN

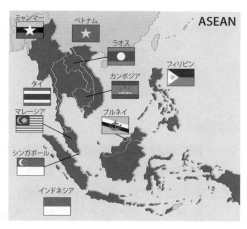

ASEAN

日本が参加する巨大経済連携

CPTPP（包括的・先進的環太平洋経済連携協定）
最終的に日本は95%、日本以外の国は99〜100%の関税を撤廃する。サービス、投資の自由化を進め、さらには知的財産など、幅広い分野で新たなルールの構築を目指す。

日 EU EPA（日 EU経済連携協定）
EPAにより、農林水産物と鉱工業製品を合わせて日本側で約94%、EU側で約99%の関税が撤廃された。

アジアの地域的な包括的経済連携協定）は、批准した10カ国で22年1月に発効。その後、22年に韓国とマレーシア、23年にインドネシア、フィリピンでも発効され、残る未発効国はミャンマーのみとなった。

22年9月には新経済圏構想「インド太平洋経済枠組み（IPEF、アイペフ）」の交渉が14カ国で始まった。IPEFは世界のGDPの約4割を占める。24年2月、日米を含む5カ国で供給網に関する協定を先行して発効した。供給網に関する初めての国際協定となる。

CPTPPのように域内の人口・GDPなどの規模が大きい国際組織は、参加国への恩恵が大きいが、負の側面も大きくなる。EUでは域内共通通貨のユーロを導入しているが、ギリシャの財政赤字によってユーロ危機に陥った。

関連キーワード

IPEF：米国のバイデン大統領が提唱した、「インド太平洋経済枠組み」。日本、米国、インド、インドネシア、オーストラリア、韓国、シンガポール、タイ、ニュージーランド、フィリピン、ブルネイ、ベトナム、マレーシア、フィジーの14カ国が協議を進めている。

19 主要国のエネルギー事情

★★

- ▶世界のエネルギーは化石燃料が主役
- ▶再生可能エネルギーは安定供給に課題、原発新設も
- ▶ CO_2 の排出低減だけでなく、CO_2 を回収する技術も開発

世界、主要国の電源構成

■世界の発電電力量と電源構成

1990年(11.8兆kWh) 化石燃料63.3%

- 再エネ(水力除く) 1.6%
- 水力 18.1%
- 原子力 17.0%
- 天然ガス 14.7%
- 石炭 37.3%
- 石油11.3%

約30年で化石燃料の割合に大きな変化なし

2020年(26.7兆kWh) 化石燃料61.2%

- 再エネ(水力除く) 12.6%
- 水力 16.2%
- 原子力 10.0%
- 天然ガス 23.7%
- 石炭 35.4%
- 石油2.1%

■主要国の電源構成 (2022年時点)

凡例: ■石炭 ■石油・その他 □天然ガス ■原子力 ■水力 ■再エネ(水力除く)

国	石炭	石油・その他	天然ガス	原子力	水力	再エネ(水力除く)
日本	30.8	8.2	33.8	5.5	7.6	14.1
米国	20.4	1.3	38.9	18.0	5.7	15.7
カナダ	4.0	0.9	12.7	13.4	61.1	7.9
フランス	1.3	2.0	9.7	62.7	9.7	14.5
イタリア	8.6	5.7	50.1		10.1	25.6
ドイツ	33.0	2.2	15.0	6.0 3.1	40.7	
英国	2.0 2.2	39.0	14.8	1.8 40.2		

0　　　20　　　40　　　60　　　80　　　100 (%)

出所：資源エネルギー庁、環境省

世界の電源構成は化石燃料が6割

経済や技術の発展などで世界の電力消費は年々増加。1990年は11.8兆kWhだったが、2020年には2倍の26.7兆kWhにまで増えている。電源構成を見ると、石炭、石油、天然ガスの化石燃料が約30年前と変わらず6割を占める。世界各国で、二酸化炭素量(CO_2)の削減に向けて取り組んでいるが、化石燃料を利用する国もまだ多く残る。先進国ではCO_2を30年までに13年比で40%以上削減する目標を掲げるが、中国は約14%増、インドは約99%増を見込んでいる。

24年6月イタリアで開催された主要7カ国首脳会議(G7サミット)で、30年前半までにCO_2の削減対策がとられていない石炭火力発電設備を廃止することで合意した。電源の3割

関連キーワード

核融合発電：核融合によって発生するエネルギーによる発電方法。日米欧などの国際共同プロジェクト「ITER(イーター、国際熱核融合実験炉)」事業が進行しており、2025年に運転開始予定。安全性が高く高レベルの放射性廃棄物を出さないことが特長。

主要国（G7）1次エネルギー自給率と政策

1次エネルギー：自然界から加工されない状態で供給されるエネルギー（石油、天然ガス、石炭など）のこと。

	自給率（2021年）下段：原子力発電所 基数（23年）				CO₂削減目標（2030年）	各国のエネルギー政策 再エネ＝再生可能エネルギー
		石油	ガス	石炭		
米国	104%	96%	113%	110%	2005年比50～52%減	原油（石油）生産量1位。米国は、シェールガス（地下100～2600メートルの硬い層に含まれる天然ガスの一種）、シェールオイル（原油の一種）の生産が2006年頃に増大し「シェール革命」と呼ばれた。米石油・ガス大手企業が大気からCO₂を回収する「DAC」のプラントを35年までに70基建設する計画。
		92基				
カナダ	186%	288%	138%	235%	2005年比40～45%減	世界有数のエネルギー生産国で、石油、石炭に加え水力資源も豊富。次世代原子炉「小型モジュール炉（SMR）」の建設も進めている。
		19基				
英国	63%	75%	43%	12%	1990年比68%減	経済水域に位置する北海油田から原油、ガスを採掘。しかし、ガス田は枯渇傾向。脱炭素に向け再エネ、原子力開発を推進。再エネは洋上風力発電、太陽光発電の比率を増やす。50年までに次世代型原子炉など8基を建設予定。
		9基				
フランス	54%	1%	0%	0%	欧州連合（EU）は2027年までにロシアからの化石燃料輸入停止を目指す。	電力の約63%を原子力発電に依存。再エネとともに、原子力発電を推進する方針で、50年までに原子炉を6基つくる予定。原子力発電による水素製造にも力を入れる。
		56基				
ドイツ	35%	3%	5%	51%	1990年比55%減	脱原発を進め、2023年4月にすべての原発を停止。化石燃料のロシア依存は天然ガス、石炭ともに4割を超えているが、天然ガスはカタール、米国と契約。ショルツ政権は、2030年までに再エネ比率8割を目指す。水素を使用するガス火力発電所の建設も進めている。
		3基				
イタリア	23%	12%	4%	0%		約5割がガス火力で、ロシアに天然ガス31%、石炭56%を依存。天然ガスはアルジェリアからの調達に合意。
		0基				
日本	13%	0%	2%	0%	2013年比46%減	化石燃料約8割を海外に依存。原油は中東に9割超、豪州にLNG約4割、石炭6割超を依存。再エネと原子力発電量を増やしていく計画。
		33基				

直接空気回収（DAC：Direct Air Capture）

大気中から直接CO₂を回収する技術開発が進んでいる。特殊な溶液やフィルターなどで空気中の低濃度のCO₂を分離・回収。回収したCO₂を地中に埋めたり、コンクリートに配合するなどカーボンリサイクルする。
米国では大型施設を建設中で、日本でも実証実験を実施している。

大気 → DAC施設 → 埋める / CO₂ 化学製品などをつくる

小型原発・小型モジュール炉（SMR）

次世代の小型原子炉のことで、世界各国で開発が進む。「電源を喪失しても原子炉の自然冷却が可能で安全性が高い」「工場で生産して据え付けるため低コスト」などの利点があるとされる。

を石炭に頼る日本は廃止時期を示していない。

ドイツ、イタリアは天然ガス調達先を変更

エネルギー確保や発電源の問題は、脱炭素のほか、安定供給、価格、安全、外交、国内の政策など多岐にわたる。

ロシアからバルト海を経由し直接、天然ガスを輸送するパイプライン「ノルドストーム」で供給を受けてきたドイツは、天然ガスの調達先をロシアからカタールや米国へと移した。同様に天然ガスの約3割をロシアに依存していたイタリアは調達先をアルジェリアに変更し、同国と関係強化を図っている。欧州連合（EU）としては、27年までにロシアからの化石燃料輸入を停止する。欧州各国は原発を活用するが、ドイツは23年4月にすべての原発の稼働を停止した。

関連キーワード

電気・ガス価格激変緩和対策：エネルギー価格の高騰により、厳しい状況にある家庭や企業の電気・ガス料金の負担を軽減する措置。小売り事業者を通じて、使用料に応じた料金の値引きを行う。23年1月～24年5月使用分までだったが24年8～10月分が追加された。

▶冷戦時代の軍拡の反省から、核軍縮へ
▶ロシアがベラルーシに戦術核兵器を配備
▶核についての条約に加盟していない国の核開発も問題に

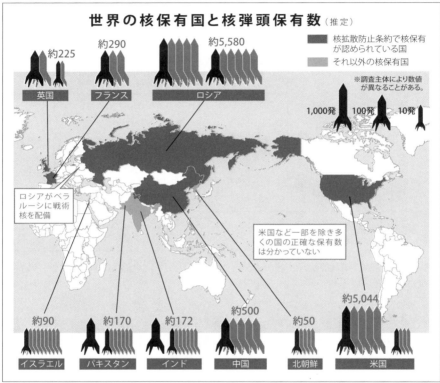

世界の核保有国と核弾頭保有数 (推定)

核拡散防止条約で核保有
が認められている国

それ以外の核保有国

※調査主体により数値
が異なることがある。

1,000発　100発　10発

約225　英国
約290　フランス
約5,580　ロシア

ロシアがベラ
ルーシに戦術
核を配備

米国など一部を除き多
くの国の正確な保有数
は分かっていない

約90　イスラエル
約170　パキスタン
約172　インド
約500　中国
約50　北朝鮮
約5,044　米国

出所:ストックホルム国際平和研究所 (Stockholm International Peace Research Institute) のウェブサイト (https://www.sipri.org/) を参考に作成

核軍縮の一方で、新たな核開発を行う国も

米国とロシア（当時のソビエト連邦）は、冷戦の中で核開発競争を進めていた。米ソが直接衝突することはなかったが、核戦争が起こるのではないかという危機感から、核軍縮へ転換する流れが生まれ、核開発や原子力に関する国際機関や条約がつくられた。

核軍縮の基本ルールとなっているのが、米・英・仏・中・ロの5カ国以外の核保有を禁止する「核拡散防止条約（NPT）」だが、限られた国のみに核保有が許されていることに反発する国もある。インドやパキスタンなどは条約に加盟せず、独自に核を持ち問題になっている。また、ロシアはウクライナとの戦闘に核兵器の使用を示唆している。

2023年5月のG7広島サミットでは、核軍

関連キーワード　**冷戦**：「冷たい戦争」のこと。第2次大戦後、ソ連を中心とする社会主義陣営と米国を中心とする自由主義陣営が対立した。核開発・軍備拡大競争が過熱化し、1962年のキューバ危機では核戦争の勃発も危ぶまれた。91年、ソ連の崩壊によって冷戦は終結した。

重要テーマセレクト10

国際社会・経済

国内政治

日本経済・業界・企業

労働・雇用

テクノロジー

社会・環境

経済の基礎知識

核 に つ い て の 条 約

核拡散防止条約（NPT）

発効：1970年（日本は1976年に加盟）
加盟国数：191の国と地域

- 核保有国を米英仏中ロだけとする。
- インド、パキスタン、南スーダン、イスラエルは条約に加盟していない
- 非核保有加盟国は核保有国の核削減の停滞を非難

中距離核戦力（INF）廃棄条約

- 中・短距離ミサイルの開発や保有を禁止。米国と旧ソ連が1987年に締結、19年8月失効

包括的核実験禁止条約（CTBT）

あらゆる場所での核実験を禁止

部分的核実験禁止条約（PTBT）

地下以外での核実験を禁止

新戦略兵器削減条約（新START）

- 米国、ロシアの核弾頭やミサイル保有数を制限
- ロシアが23年に一方的に履行停止を発表

核兵器禁止条約

- 核兵器の開発や保有、使用などを禁止
- 米国、中国、ロシアなど核兵器保有国のほか、米国の「核の傘」の下にある日本、北大西洋条約機構（NATO）諸国は不参加

推進！

イラン（ＮＰＴ加盟国）の核開発問題

2002年	イランの核濃縮計画が発覚。国際社会から非難され中止
2005年	強硬派のアフマディネジャド大統領が就任し開発を再開

　イランは原発や医療のための核は必要と主張

2013年	穏健派のロウハニ大統領が就任し国際社会と核縮小の交渉
2015年	最終合意

イランと米英独仏中ロ6カ国の「枠組み合意」の骨子
- 現在約10トンある低濃縮ウランを15年間で、300キロに減らす
- 遠心分離器を約1万9千基から6104基に減らす
- 最低15年間、核兵器製造に使える高濃縮ウランを製造しない
　　　　　　　　　　　　　　　　　　　　　　　　　　　　など

2018年	米国（トランプ前大統領）がイラン核合意から離脱
2019年	イランは核合意の上限を超えウラン濃縮度アップ
2024年	現職ライシ大統領の事故死に伴う大統領選が7月に行われ、改革派のペゼシュキアン氏が大統領に就任

ペゼシュキアン大統領

「核兵器用核分裂性物質生産禁止条約（FMCT）」

ヒロシマ・アクション・プラン

岸田文雄 前首相

高濃縮ウラン、プルトニウム等の生産禁止により、核兵器の増加を抑制することを目指す「FMCT（通称カットオフ条約）」の発効を友好国に呼びかけた。

縮の共同文書「広島ビジョン」を発出し、ロシアの核に対する姿勢も非難した。しかしその翌6月にロシアは、ベラルーシに戦術核兵器の配備を開始。管理はロシアが行う。隣国ポーランドのモラウィエツキ首相は、米国の核兵器を北大西洋条約機構（NATO）加盟国内に配備し、有事に共同で運用する「核共有」に参加したい意向を示した。

米国とイランの核合意、再建の行方

　2015年、イランの核開発活動を長期間にわたり制限するイラン核協議が合意に至った。しかし、18年にトランプ米前政権が離脱しイランへの経済制裁を再開。核合意は停滞している。そんな中、24年8月に改革派のペゼシュキアン新内閣が発足。核合意への転換、欧米との融和外交の方針を示した。

関連キーワード

核共有（核シェアリング）：核兵器を持たない国が核保有国の核兵器を自国内に配備し、共同運用する制度。米国の核共有にはNATOに加盟する5カ国、ドイツ、オランダ、ベルギー、イタリア、トルコが参加している。

21 ESG 投資

▶ 環境・社会・ガバナンスに配慮している企業に投資すること
▶ ESG に配慮した企業は長期的に見て成長する可能性が高い
▶ ESG 投資で約 35 兆ドルものお金が動く

★★

ＥＳＧ投資のイメージ

企業・団体

業績 企業規模等 　持続可能な経営　 環境、社会、人に配慮
経済的価値 　　 非経済的価値

社会貢献、資金で技術開発・事業拡大、必要な人材確保等で成長

Environment（環境）	**Social（社会）**	**Governance（企業統治）**
・二酸化炭素の排出量削減 ・再生可能エネルギーの利用 ・事業活動での廃棄物低減	・事業活動での人権問題の配慮 ・労働環境の改善 ・製品の安全性の確保	・取締役会の多様性確保 ・適切な納税などの法令順守 ・従業員への投資（人的資本）など

利益還元（配当）　　ESG投資

企業はESGの具体的なアクション、経営リスクなどを情報開示

ESGに配慮しているか、不正はないかなど企業経営をチェック

機関投資家・個人投資家
国連「責任投資原則（PRI）の視点」を重視

持続可能なビジネスに投資

ESG 投資とは、環境、社会、企業統治（ガバナンス）を判断材料にして、企業などに投資をすること。これまでは企業の経営成績を示す財務情報が投資の基準だったが、ESG 投資は地球環境保全や人権、法令順守の取り組みなどの非財務情報を重視する。例えば、メガバンクは、二酸化炭素を多く排出する一部の石炭火力発電所向けの新規融資などを今後停止すると表明している。

非財務情報の開示がスタンダードに

ESG 市場が動き始めたのは 2005 年に国連が投資機関に対し、ESG の課題を投資の意思決定に組み込む「責任投資原則」（PRI）を提唱して以降だ。多くの金融機関が賛同し、これに署名。15 年には日本の国家予算よりも

関連キーワード　コーポレートガバナンス・コード：不祥事隠しなどを防ぎ、企業が適切な経営をするための指針のこと。コーポレートガバナンスは企業統治と訳される。東京証券取引所は上場企業に対して、気候変動に関するリスクの開示や、人材の多様性の確保などを求めている。

ＥＳＧへの取り組みの指標など

■企業のESGへの取り組みの情報開示、指標など

環境	社会	ガバナンス
統合報告書：企業が財務情報に加えESGへの取り組みなど、非財務情報を併せてまとめた報告書		
有価証券報告書：上場企業は金融庁が扱う同報告書でESGに関する情報を開示		
国際サステナビリティ基準審議会（ISSB）：国際会計基準（IFRS）を作る財団の傘下で、ESG等の非財務情報の世界的な開示基準の策定が進む		
RE100：事業運営を100％再生可能エネルギーで賄うことを目指す国際組織。日本の企業も参加 **TCFD（気候関連財務情報開示タスクフォース）**：東京証券取引所のプライム市場に上場する企業は、TCFDに沿った情報開示が必要	**健康経営銘柄**：従業員の健康管理維持に努める上場企業を経済産業省（経産省）と東京証券取引所（東証）が選定	**新・ダイバーシティ経営企業100選**：多様な人材の能力を生かし、価値創造につなげている企業100社を経産省が選定 **なでしこ銘柄**：女性活躍に力を入れている上場企業を東証と経産省が選定

■自己表明型統合レポート発行企業等数の推移（国内）

（企業数）

12年間で約34倍

2011	2012	2013	2014	2015	2016	2017	2018	2019	2020	2021	2022	2023（年）
30	56	90	135	206	274	330	421	532	609	749	923	1027

> 統合報告書（レポート）を発行する企業は年々増加！

出所：企業価値レポーティング・ラボ（https://cvrl-jp.com/）の資料を参考に作成

■人権デューデリジェンス

企業が人権侵害をしないために経済産業省が「事業分野、産品、地域、人権侵害リスクの例」の4つの観点からの点検項目を公表。

投資家にとって、例えば、チョコレートの原料となるカカオが児童労働など人権侵害により生産されていた場合、チョコレートの製造企業は投資の対象でなくなる。

☐	**事業分野別**	農業・漁業、化学品・医薬品など10分野における人権侵害リスクを例示
☐	**産品別**	カカオやコーヒー、綿など、産品別に児童労働や強制労働が指摘されている産品を例示
☐	**地域別**	児童労働などのリスクの高さを国・地域ごとにスコアで表示
☐	**人権侵害リスクの例**	人権侵害リスクの10パターンを例示

資金を持つ年金積立金管理運用独立行政法人（GPIF）が署名した。

ESG投資を企業が集めるためにはESGの非財務情報の積極的開示が求められている。近年は、財務情報と非財務情報をまとめた統合報告書を作成する企業も急増している。また、サプライチェーンを含めた企業活動において「人権デューデリジェンス」と呼ばれる

人権尊重への取り組みも重要となっている。対応が遅れている企業もあることから、23年4月に経済産業省がそのガイドラインを公表している。

一方、企業等の見せかけの環境対応「グリーンウオッシュ」が問題となっており、欧米では、環境への対応に関する表示や表現に厳しい規制をかけている。

関連キーワード

人権デューデリジェンス：企業の事業運営に関わる全ての過程において、強制労働や児童労働、劣悪な環境での労働などの人権侵害に配慮し、対策や救済を行うこと。取引先やサプライチェーンにおいても同等の管理が求められる。

22 暗号資産（仮想通貨）

★★★

- ▶インターネット上で用いられる電子データのみの通貨
- ▶改正資金決済法が施行され、国内で「ステーブルコイン」の発行が可能に
- ▶巨額流失や違法行為の温床になるなどの問題点も多い

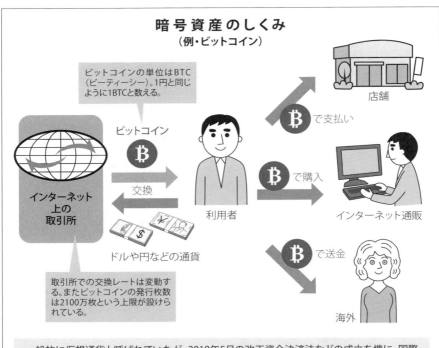

暗号資産のしくみ
（例・ビットコイン）

ビットコインの単位はBTC（ビーティーシー）。1円と同じように1BTCと数える。

ビットコイン

インターネット上の取引所

交換

ドルや円などの通貨

取引所での交換レートは変動する。またビットコインの発行枚数は2100万枚という上限が設けられている。

利用者

店舗

で支払い

で購入

インターネット通販

で送金

海外

一般的に仮想通貨と呼ばれていたが、2019年5月の改正資金決済法などの成立を機に、国際会議等で使用する表現「暗号資産」に変更された。

電子データのみの通貨

暗号資産とは、高度な暗号技術によって守られた、主にインターネット上での取引に用いられる電子データのみの通貨のこと。法定通貨の円やドルとも交換できる。法定通貨のように通貨を発行・管理し価値を保障してくれる国家や中央銀行のような発行主体がないビットコインなどの暗号資産と、法定通貨を裏付け資産として銀行などが発行するステーブルコインがある。

現在では発行されている暗号資産は世界に約2万種類あり、全暗号資産の時価総額は100兆円を超えるといわれている。代表的なものにビットコインとイーサリアムがあり、この2つで時価総額の3分の2を占めている。ステーブルコインは23年8月に米決済大手のペイパ

関連
キーワード

ブロックチェーン：暗号資産の取引データを安全に管理するための暗号技術。複数のデータを一定のブロック（塊）としてネット上に記録し、それぞれのブロックをチェーン（鎖）のように暗号化してつなぎ合わせて保存することから名付けられた。

重要テーマセレクト10

国際社会・経済

国内政治

日本経済

業界・企業

労働・雇用

テクノロジー

社会・環境

経済の基礎知識

暗号資産と法定通貨の違い

	法定通貨	暗号資産（ビットコインの場合）	ステーブルコイン
発行者	発行国	特定の発行者はいない	コイン発行者。日本では銀行、信託会社、資金移動業者
管理者	中央銀行	特定の管理者はいない	コイン発行者。日本では銀行、信託会社、資金移動業者
現　物	紙幣や硬貨がある	ない（暗号化された電子データ）	ない（暗号化された電子データ）
発行量	上限はない	上限が決まっている。2140年頃までに2100万ビットコイン（BTC）を発行	上限は発行者によって異なる
信　用	国が価値を保障	価値の保障はない	発行者が保障
額　面	日本円は一定　外貨などは穏やかに変動	大きく変動することが多い	大きく変動しないように設計

■暗号資産の活用法

中米 エルサルバドル
世界で初めてビットコインを法定通貨に（21年から）
メリット
・送金手数料（少）
・銀行口座を持たなくてもデジタル決済が行える

主な暗号資産

名称	特徴
Bitcoin（ビットコイン）	代表的な暗号資産。サトシ・ナカモトと名乗る人物が考案したとされる。一部の実店舗では支払いに使える。24年1月、米国で上場投資信託（ETF）が承認された。
ETH（イーサリアム）	ビットコインに次いで時価総額第2位（2024年9月時点）。支払いと同時に契約が完了する機能がある。24年7月、米国で上場投資信託（ETF）が承認された。
XRP（リップル）	銀行間送金に活用される。海外送金が法定通貨より速く安い。

ル・ホールディングスが、ドルに連動する「ペイパル USD」を自社サービスに導入した。日本では 23 年 6 月に改正資金決済法が施行され、銀行、信託会社、資金移動業者が発行できるようになった。三菱 UFJ 信託銀行がブロックチェーン会社に出資するなど 24 年中の発行を進めており、みずほ FG も参加する。ソニー銀行も実証実験を始めた。

問題点も多いが将来的な可能性は大きい

巨額の暗号資産が取引所から盗まれたり、マネーロンダリングなどの違法行為に利用されたりするといった問題点も多い。日本では暗号資産の業界団体である日本暗号資産ビジネス協会（JCBA）が、自主規制団体である日本暗号資産取引業協会（JVCEA）と金融庁と連携して自主規制ルールに反映する。

▶関連キーワード　　**中央銀行デジタル通貨（CBDC）**：現金を電子データに置き換えたもの（デジタル化）、円など法定通貨建てである、中央銀行の債務として発行される──この 3 条件を満たす通貨のことで、日本も実証実験を進めている。21 年にバハマが世界で初めて発行。

グローバル・ミニマム課税／デジタル課税

▶グローバル・ミニマム課税は企業が負担する税率を最低15%に
▶巨大な多国籍企業から各国が適正に法人税を
　徴収できるようにするルールを制定

国際的な法人課税

問題点1 多国籍企業による租税回避地（タックス・ヘイブン）を利用した節税・税逃れ

十分に課税できない　利益を移転　低税率

税務当局（政府）　多国籍企業A本社　A社の子会社　税務当局（政府）

A国 法人税が高い国　B国 法人税が低い国（タックス・ヘイブン）

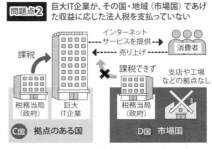

問題点2 巨大IT企業が、その国・地域（市場国）であげた収益に応じた法人税を支払っていない

インターネットサービスを提供　消費者
売り上げ
課税　課税できず　支店や工場などの拠点なし

税務当局（政府）　巨大IT企業　税務当局（政府）

C国 拠点のある国　D国 市場国

OECD、G20などで議論

新ルール1 法人税の最低税率

・企業が負担する法人税率を15%以上にする。
・子会社がある国・地域の税率が最低税率（15%）より低い場合は差額分を親会社がある国・地域に納める（所得合算ルール）。

全体で法人税率15%以上

A本社があるA国へ納税 15%−B国の法人税率　B国の法人税率で納税

A社の子会社

新ルール2 デジタル課税

・企業の拠点の有無にかかわらず、市場国で一定の売上高があれば課税できるようにする。
・利益率10%を超える部分の一部（25%）に対する課税を市場国の売上高に応じて再配分する。

利益全体
利益率10%まで　10%を超える利益

C国で課税　75%に対してC国で課税　25%に対して市場国D国で課税

巨大IT企業　市場国E国、F国など市場国が他にもあれば配分

デジタル時代の新課税ルール

　経済のデジタル化やグローバル化に伴い、多国籍企業が本来払うべき税金を十分に払っていないことが問題となっている。租税回避地（タックス・ヘイブン）と呼ばれる、税金がゼロか極端に低く設定された国に関連会社を置き、そこに利益を移して節税したり、税逃れしたりするケースだ。GAFAMと呼ばれる巨大IT企業が、莫大な利益に見合った税金を、消費者のいる市場国に納めていないとの批判もある。このため経済開発協力機構（OECD）を中心に国際課税ルールの見直しについて議論が重ねられてきた。

　2021年10月、OECD加盟国を含む136カ国・地域は、法人税の最低税率を15%とするグローバル・ミニマム課税（正式名称 GloBE〈グローブ〉ルール）とデジタル課税について合意し、20カ国・地域（G20）の財務省・中央銀行総裁会議でも合意した。前者は各国がそれぞれ法改正をして同税率を導入する。日本は24年4月に導入。後者は、23年7月に多国間条約の大枠に138カ国・地域が合意した。25年の発効を目指しているが、米国との調整が難航している。

24 SDGs（エスディージーズ）

ポイント ★★★

▶2030 年までに世界的に取り組む「持続可能な開発目標」
▶先進国を含むすべての国を対象としている
▶達成度ランキング、日本は 18 位

ＳＤＧｓの17の目標と世界のＳＤＧｓ達成度ランキング

SUSTAINABLE DEVELOPMENT GOALS

世界のSDGs達成度ランキング

順位	国・地域名	スコア
1	フィンランド	86.4
2	スウェーデン	85.7
3	デンマーク	85.0
4	ドイツ	83.4
5	フランス	82.8
6	オーストリア	82.5
7	ノルウェー	82.2
8	クロアチア	82.2
9	英国	82.2
10	ポーランド	81.7
11	スロベニア	81.3
12	チェコ	81.3
13	ラトビア	81.0
14	スペイン	80.7
15	エストニア	80.5
16	ポルトガル	80.2
17	ベルギー	80.0
18	日本	79.9
33	韓国	77.3
46	米国	74.4

日本において 達成度が低い目標
（大きな課題が残っている項目）

5.ジェンダー平等を実現しよう　12.つくる責任つかう責任　13.気候変動に具体的な対策を　14.海の豊かさを守ろう　15.陸の豊かさも守ろう

政府は、日本の「SDGsアクションプラン2023」を策定

出所：（ランキング表）Sustainable Development Report2024

「誰も置き去りにしない」が理念

SDGs（Sustainable Development Goals: 持続可能な開発目標）は、2030 年までに取り組む世界的な目標で、15 年 9 月の国連総会で採択された。世界の貧困をなくし、持続可能な世界の実現を目指す。「誰も置き去りにしない」を理念とし、貧困や飢餓の撲滅、環境保護、社会の平等など 17 のゴールと 169 ターゲットが設定されている。法的拘束力はないものの、国連加盟国は目標達成の道義的責任を負うことになっている。

国連の研究組織がまとめた 24 年の「世界のSDGs 達成度ランキング」で日本は 167 カ国中 18 位だった。前年の 21 位（79.4）から 7 年ぶりに順位を上げた。国政への女性参加をはじめ男女格差が見られる日本は、特に「5 ジェンダー平等を実現しよう」の達成度が低い。「12 つくる責任 つかう責任」については、プラスチックごみが大きな課題として指摘されている。

30 年の SDGs 達成に向けて、政府が策定している「SDGs アクションプラン 2023」では、重点事項として、女性の活躍推進、子どもの貧困対策、外国人との共生社会の実現などを挙げている。

25 世界の難民、避難民

★★

ポイント
▶世界の難民、避難民等は過去最多の1億1730万人に
▶アフガニスタン、シリア、ウクライナほか5国で7割占める
▶受け入れ国の上位は、イラン、トルコ、コロンビア

世界の難民、避難民が多い国・地域

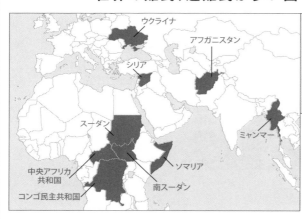

難民等を受け入れている国 上位5カ国	
イラン	380万人
トルコ	330万人
コロンビア	290万人
ドイツ	260万人
パキスタン	200万人

■世界の難民、避難民、国際的保護を必要としている人

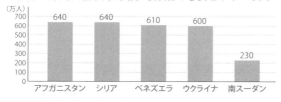

［難民の主な出身国］
7割が
5カ国に
集中！

出所：国連難民高等弁務官事務所（UNHCR）「GLOBAL TRENDS FORCED DISPLACEMENT IN 2023」を基に作成

シリア・アフガンからの難民・避難民が最多

　国連難民高等弁務官事務所（UNHCR）によると2023年末時点で「紛争や迫害により故郷を追われた人」は推計1億1730万人となり、前年比880万人増、過去最多となった（難民3160万人、国内避難民6830万人、庇護希望者690万人、その他の国際保護を必要としている人580万人）。

　とくに多いのは、タリバン政権復活や大規模地震によってアフガニスタンから逃れた人、また、アサド政権と反対派の勢力との内戦が10年以上続くシリアから追われた人で、それ

ぞれ640万人。次いでベネズエラ610万人、ウクライナ600万人、南スーダン230万人。出身国の周辺国に逃れてとどまっている人も多い。難民等の受け入れ数が多い国は、イラン、トルコ、コロンビア、ドイツ、パキスタン。中には途上国もあり支援が必要だ。

　日本の難民認定数は6年連続で増加しており、23年は303人で過去最多となった。8割弱はアフガニスタンからの難民。次いで多いのはミャンマーで、入管庁の条件に該当しない人もいるが、在留資格「特定活動」を適用して滞在を認めている。

26 ★★ NFT（非代替性トークン）

▶複製可能なデジタルデータの 「一点物」を
証明する新しい認証技術

NFT（非代替性トークン）の仕組み例

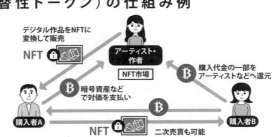

従来のデジタル作品
デジタルデータ（デジタル作品）は全く同じものが簡単にコピーできるため、値段を付けて売買の対象にするのが難しかった。

NFTでオリジナルとして販売可能に
NFTはデジタルデータに「証明書」が付いたようなもの。これにより特定のデジタル作品だけをオリジナルとして売買可能となった。

▌デジタル作品の売買が可能

　NFTはブロックチェーン（分散型台帳）の仕組みを使って発行・流通するデジタルデータ。作者の情報や受け渡しの記録などをデータ改ざんが難しいブロックチェーン上で管理すること

で、そのデータがオリジナルのものであることを証明できる。絵画や音楽などをNFTに変換すれば「一点物」として売買できる。二次売買もでき、転売時に取引される金額の一部を作者に還元する仕組みをつくることも可能だ。

27 ★★ AUKUS（オーカス）

▶豪州、英国、米国の安全保障協力の枠組み
▶豪州に原子力潜水艦を配置し、中国をけん制

▌オーストラリアの軍事面の強化

　AUKUSは、覇権主義を強める中国に対抗し、2021年9月に米国、英国、オーストラリア（豪州）が創設した安全保障の枠組み。豪州での原子力潜水艦の建造や極超音速兵器の開発

などで協力する。気候変動などの連携までをうたうQuadよりも、軍事面の強化が目立つ。AUKUSにカナダ、ニュージーランドを加えたファイブ・アイズと呼ばれる機密情報共有の枠組みもあり、日本は連携を強める。

カッコ内に入る言葉を答えよ。

1 2024 年 6 月に G7 首脳会議（イタリア・プーリアサミット）が開催された。次回の議長国は（　　　）である。

2 北半球の南部と南半球に位置する新興国や途上国を指すグローバルサウスの国々の中で、リーダー的立場を取る、人口世界一となった国は（　　　）である。

3 中国と欧州を陸路で結ぶ、中国が提唱する広域経済構想を（　　　）という。

4 現在の国連事務総長はポルトガル人の（　　　）である。

5 BRICS に加盟を申請しているアジアの国は、マレーシアと（　　　）である（2024 年 8 月時点）。

6 ESG 投資は、環境、社会、（　　　）を判断材料にして、企業などに投資することをいう。

7 法定通貨を裏付け資産として、銀行などが発行する暗号資産（仮想通貨）を（　　　）という。

8 国家間の税率の引き下げ競争に歯止めをかけるために、企業が最低限負担すべき法人税の割合を 15％に定めたルールを（　　　）という。

9 オーストラリアでの原子力潜水艦の建造などで協力する、オーストラリア、英国、米国の安全保障の枠組みを（　　　）という。

10 ブロックチェーン（分散型台帳）技術を基盤にした複製や改ざんが難しい、「一点物」のデジタルデータを（　　　）という。

【解答】　1. カナダ　2. インド　3. 一帯一路　4. アントニオ・グテレス　5. タイ
6. 企業統治またはガバナンス　7. ステーブルコイン　8. グローバル・ミニマム課税
9. AUKUS（オーカス）　10. NFT（非代替性トークン）

第3章

国内政治

「異次元の少子化対策」や「国家安全保障と防衛費」といった
国内政治の様々なテーマを掲載。
政治の今後の動向を見るうえでも活用してほしい。

28 2024年の国政と重要法案

★★★

- ▶ 賃上げ、定額減税など経済政策に重点
- ▶ 改正政治資金規正法が可決・成立
- ▶ 3年におよぶ岸田政権が終了

国政などに関する主な出来事

2023年10月〜
- 10月20日〜12月13日、臨時国会を開催。物価高への対応策を議論

2024年1月
- 1月26日〜6月23日、通常国会を開催。元日に発生した能登半島地震への対応が緊急課題

2月
- 自民党派閥の政治資金パーティー問題を巡り、衆院政治倫理審査会を開催。岸田首相も出席
- 「異次元の少子化対策」で子ども・子育て支援などの改正案を閣議決定

3月
- 24年度の予算成立、総額112.5兆円
- 日銀が「マイナス金利政策」解除を決定
- 定額減税などを盛り込んだ税制改正関連法が成立

4月
- 政治資金パーティー問題を受けて、自民党は議員39人の処分を決定
- 政治資金規正法の改正へ審議開始
- 訪米中の岸田首相がバイデン米大統領と会談

5月
- 岸田首相、フランス、ブラジル、パラグアイ訪問
- 日韓首脳会談、日中首脳会談

6月
- G7サミット（イタリア）、世界平和サミット（スイス）に岸田首相が出席
- 1人あたり計4万円の定額減税が開始
- 「骨太の方針2024」を閣議決定
- 通常国会、閉会

7月
- 東京都知事選、投開票。現職の小池百合子氏が当選
- NATO首脳会議に岸田首相が出席
- 新紙幣が流通開始

8月
- 岸田首相が自民党の次期総裁選に出馬しない意向を表明。首相退任へ

9月
- 自民党総裁選挙に9名が立候補
- 27日、自民党総裁選挙の投開票

骨太の方針2024
2024年6月に閣議決定された「骨太の方針」の主な内容

- ●賃上げの定着
- ●企業の稼ぐ力
- ●全世代型の社会保障
- ●財政健全化
など

岸田文雄
首相

物価高を上回る所得を目標に

2024年は1月26日に通常国会が始まり、30日に岸田首相が衆議院本会議で施政方針演説に臨んだ。「24年に物価高を上回る所得を実現する」との目標を打ち出し、適正な価格転嫁による賃上げの実現や、6月の1人4万円の定額減税で可処分所得を下支えするなどの方針を述べた。さらに持続的な賃上げに向けて、労働市場改革を進めるとし、6月の「骨太の方針」に具体案が盛り込まれた。また、能登半島地震については、首相をトップとした復旧・復興支援本部の新設を表明した。

一方、自民党派閥による政治資金パーティーの問題を巡り、国民から疑惑の目が向けられた。他党の厳しい追及も続き、24年の国会は「政治とカネの問題」が争点となった。

関連キーワード
骨太の方針：正式名称を「経済財政運営と改革の基本方針」といい、政府の経済財政運営や予算編成の基本となる。経済財政諮問会議で原案を作成、毎年6月頃に閣議決定する。

政治とカネの問題が国会の争点に

■資金移動のイメージ

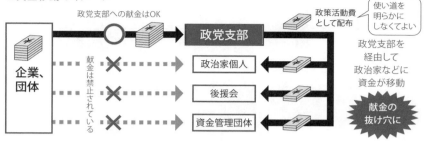

■改正政治資金規正法のポイント ※検討事項を含む

パーティー券購入者の公開基準額

20万円超 → 5万円超

議員に監督責任 収支報告書の確認書交付義務

会計責任者 連帯責任 議員
有罪 / 罰金、公民権の停止も

政策活動費の領収書

領収書 10年後に公開

第三者機関の設置

政策活動費などを監督する機関の設置を検討

■2024年に成立・施行した主な法律

- ●改正政治資金規正法
- ●「共同親権」を定めた改正民法
- ●改正子ども・子育て支援法
- ●「セキュリティー・クリアランス（適格性評価）」制度の導入を盛り込んだ重要経済安保情報保護・活用法

政府が提出した法案は62本で61本が成立。成立率は約98.4%

政治資金問題に厳しい目

24年6月、改正政治資金規正法が参議院本会議で可決・成立した。野党は改正案は不十分とし、反対に回った。改正点には、議員本人に収支報告書の確認書の交付を義務付けて監督責任を持たせるなどがある。詳細は協議の上で決定し、26年1月から施行となる。

通常国会は、政府が提出した法案（閣法）62本のうち、61本が成立した。「改正子ども・子育て支援法」など、重要政策に関する法律が並んだ。

9月に自民党は憲法改正に向けて、自衛隊を追記するなど党としての考えを決定した。憲法改正の議論を一気に進めたい考えだ。3年におよぶ岸田政権は幕を下ろし、新首相に引き継がれる。

関連キーワード 議員立法：国会議員が提出する法案のこと。国会へ提出される法案は、内閣から提出する内閣提出法律案（閣法）、と議員立法の2つ。提出された法案は唯一の立法機関である国会で審議される。議員の提出する法案には、国民にとって身近なものが多い。

29 新しい資本主義

★★

ポイント
▶「成長と分配の好循環」を目指す岸田政権の看板政策
▶労働市場改革の実行で構造的な賃上げを目指す
▶政府の的を絞った公的支出により民間投資を拡大

新しい資本主義とは

日本では1980年代から2000年代に新自由主義的政策を実施
（政府が市場経済活動に介入しない、公共投資の縮小など）

経済成長の果実（お金など）
市場経済活動

適切な分配が
行われていなかった

従業員の給与
新たな研究開発や設備投資
地方、取引先（下請け企業）など

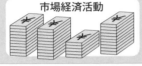

経済的格差、気候変動の加速、過度な海外依存による経済安全保障リスクの増大、
都市の人口集中などの弊害

これらの解消には、官民が連携することが必要

新しい資本主義

経済の好循環で国民の持続的な幸福を実現

経済成長
市場経済活動

**官民が連携
原資の確保**

分配

従業員の給与
新たな研究開発や設備投資
地方、取引先（下請け企業）など

企業収益増、
新たな市場の創出など

投資、消費

出所：首相官邸、内閣官房、政府広報オンラインなどのウェブサイトを基に作成

官民連携で経済の好循環を

　「新しい資本主義」は、首相官邸によれば「官民が協力し『成長』『分配』を実現」するとされる。背景には、1980年代から2000年代にかけて始まった、政府が市場経済活動に介入しない新自由主義的な政策による弊害がある。経済成長の果実（お金など）が適切に分配されなかったことから生じた経済的格差や、地方と都市部との格差を、政府の民間への投資などで解消することが「新しい資本主義」である。

　例えば、政府は賃金を引き上げる企業への支援や仕事のスキルアップ支援などにより国民の所得を増やし経済の活性化を狙う。企業は収益を伸ばし、これを従業員や社会に還元。官民協力して、経済の好循環を目指す。

関連
キーワード

資産所得倍増プラン：家計にとどまる家計金融資産を投資に向けて市場を活性化させ、個人の所得を増やす計画。投資しやすいよう、個人型確定拠出年金（iDeCo）や、少額投資非課税制度（NISA）の拡充を図っている。

所得を増やして需要を広げる

■「新しい資本主義」の方向性

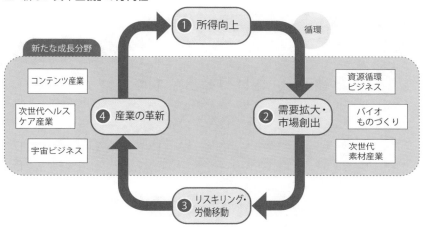

新たな成長分野

① 所得向上　　　循環

② 需要拡大・市場創出

③ リスキリング・労働移動

④ 産業の革新

コンテンツ産業
次世代ヘルスケア産業
宇宙ビジネス

資源循環ビジネス
バイオものづくり
次世代素材産業

出所:「新しい資本主義実行本部　経済構造改革委員会　提言」を基に作成

■新しい資本主義実現会議　2024年改訂版のポイント

中小企業の賃上げの定着
・物価高などによる価格転嫁の徹底
・下請法の改正
・省力化、自動化への投資

産業の革新
・スタートアップの育成
・事業承継、M&Aの円滑化
・コンテンツ産業の活性化

労働市場の改革
・「ジョブ型人事」の導入・拡大
・リスキリング(学び直し)による能力向上
・成長市場への労働移動、所得増加

投資の推進
・次世代エネルギー発電への投資
・AI領域のイノベーションの加速
・官民連携による科学技術の推進

中小企業の賃上げ、定着を目指す

「新しい資本主義」では、「人への投資」「科学技術・イノベーション」「スタートアップ」「グリーントランスフォーメーション（GX）、デジタルトランスフォーメーション（DX）」の4分野に重点投資を進めてきた。24年6月の「新しい資本主義実現会議」で、具体的に「中小企業の賃上げの定着」「労働市場の改革」「産業の革新」「投資の推進」が挙がった。

賃上げ率は約30年ぶりの高い水準になったが、中小企業は大企業に遅れている。物価高などによるコスト上昇分を価格に転嫁し、賃上げの原資を確保しやすくする。また、スタートアップ育成やコンテンツ産業のクリエーター支援についても強化を進め、日本の産業の競争力を高める。

関連キーワード　　**映画戦略企画委員会**：クリエーターの発掘・育成や労働環境の改善を目的に、映画関係者や関係省庁が映画の振興策を議論する。「新しい資本主義」のコンテンツ産業活性化戦略の一環で、24年9月に開催された。

30 異次元の少子化対策

★★★

ポイント

▶ 2023 年の出生数は約 72 万人で、年々減少
▶ 子育てしやすいよう、社会全体の構造・意識を変える
▶ 育児休業・給付、手取り 10 割に（両親がともに育休をとった場合）

出生数・合計特殊出生率の推移

(万人) ＝出生数(左目盛)
━━＝合計特殊出生率(右目盛)

出生率過去最高　4.32

1990年 1.57ショック
1992年の「国民生活白書」に少子化という言葉が登場

丙午

2.16

1.58

1989年に特殊出生率が1966年の丙午を下回る

1.57

1.26

出生率過去最低　1.20

少子高齢化の背景と影響

婚姻数の減少

人口減少により婚姻数が減少、生涯未婚率は上昇。結婚観や子どもを持つことへの考え方は多様化。

「独身でいる理由」トップ(25〜34歳)
「適当な相手にまだ巡り合わない」

	1970年	2023年
婚姻数	102万9410組	47万4717組
生涯未婚率 (50歳未婚率) 男性	1.7%	28.3%
女性	3.3%	17.8%

合計特殊出生率の低下

1人の女性が生涯に産むとされる子どもの数(その年の15〜49歳の女性の年齢別出生率の合計)が低下。

	1970年	2023年
	2.13	1.20

「理想の数の子どもを持たない理由」トップ
(理想の子ども数を下回る、妻の年齢が50歳未満の初婚夫婦)
「子育てや教育にお金がかかりすぎるから」

出所:「独身でいる理由」「理想の数の子どもを持たない理由」は国立社会保障・人口問題研究所「第16回出生動向基本調査」(2021年)

出所:(上表)厚生労働省「人口動態統計」、こども家庭庁「こども政策の強化に関する関係府省会議」参考資料を基に作成

少子化の進行は予測より早い?

厚生労働省によると、2023 年の出生数は 72 万 7277 人、1 人の女性が生涯に産む子どもの数を示す合計特殊出生率は 1.20 で、いずれも過去最低を更新した。日本の少子化が止まらない。地域別では東京都の 0.99 が最も低かった。

シンクタンクの日本総合研究所は、24 年の出生数が 70 万人を割るという推計をまとめた。国の予測では出生数 70 万人割れが起こるのは 14 年後の 38 年。もし 24 年に出生数 70 万人割れになれば、国の想定より早いペースで少子化が進行していることになる。

政府は少子化対策に重点を置き、「異次元の少子化対策」に取り組んできた。賃上げにより若い世代の所得を増やすことや子育て世

合計特殊出生率 2.07：人口を維持するためには合計特殊出生率 2.06 から 2.07 が必要とされている。OECD の報告によると、韓国 0.72、台湾 0.87、シンガポール 0.97 とアジアの少子化が深刻だ（2023 年）。

少子化対策（こども未来戦略方針）の全体像

[主な支援]

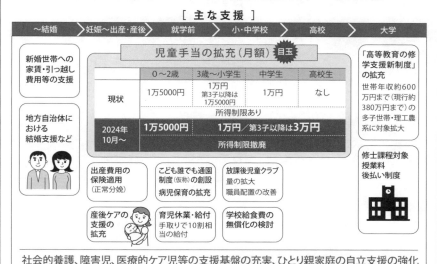

～結婚　妊娠～出産・産後　就学前　小・中学校　高校　大学

新婚世帯への家賃・引っ越し費用等の支援

地方自治体における結婚支援など

児童手当の拡充（月額） 目玉

	0～2歳	3歳～小学生	中学生	高校生
現状	1万5000円	1万円 第3子以降は 1万5000円	1万円	なし
	所得制限あり			
2024年 10月～	1万5000円	1万円／第3子以降は3万円		
	所得制限撤廃			

「高等教育の修学支援新制度」の拡充
世帯年収約600万円まで（現行約380万円まで）の多子世帯・理工農系に対象拡大

修士課程対象授業料後払い制度

出産費用の保険適用（正常分娩）

こども誰でも通園制度（仮称）の創設
病児保育の拡充

放課後児童クラブ
量の拡大
職員配置の改善

産後ケアの支援の拡充

育児休業・給付
手取りで10割相当の給付

学校給食費の無償化の検討

社会的養護、障害児、医療的ケア児等の支援基盤の充実、ひとり親家庭の自立支援の強化

■こども誰でも通園制度のイメージ

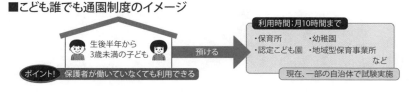

生後半年から3歳未満の子ども　預ける　利用時間：月10時間まで
・保育所　・幼稚園
・認定こども園　・地域型保育事業所　など
現在、一部の自治体で試験実施

ポイント！ 保護者が働いていなくても利用できる

■実施のロードマップ（実施のめども含む）

2024年度	2025年度	2026年度	2028年度	2030年度を目安に
児童手当の拡充（10月～）	育児休業・給付の拡充	出産費用の保険適用 こども誰でも通園制度（仮称）	雇用保険の適用拡大	子ども関連の予算を一元化する「こども金庫」創設

出所：首相官邸のウェブサイト、内閣官房「こども未来戦略方針」などを基に作成

代への切れ目のない経済支援、そして、子育てに対しての社会の意識変化を促す。

こども誰でも通園制度で育児負担を解消

少子化対策の目玉は24年10月開始の「児童手当」で、受け取る家庭の所得制限を撤廃し、対象を高校生にまで広げた。25年4月からは、育児休業に対して手取りで10割相当の給付が実施される予定だ。

さらに、保護者の就労の有無を問わず保育所などの施設を利用できる「こども誰でも通園制度（仮称）」について、24年秋に制度の基準を定め、26年度から全自治体で実施する見込み。育児に関わる人たちの負担や孤立感を解消する。30年には「こども金庫」を創設し、こども家庭庁による予算の一括管理を目指す。

関連キーワード　こどもファスト・トラック：妊婦や子連れの人を対象に、公共施設や商業施設の受付を優先する政府の取り組み。待ち時間を短縮することで施設を利用しやすくすることを試みている。国立の博物館や美術館、迎賓館などで実施している。

31 こども家庭庁と日本版DBS

ポイント ★★

▶ 23年4月、「こども家庭庁」発足、子ども関連の政策を一元化
▶ 24年に「子ども性暴力防止法（日本版DBS法）」が成立
▶ 児童虐待、子どもの貧困率など課題は山積

「こどもまんなか」社会の実現へ

「こども基本法」の基本理念の概略（一部抜粋）

| 基本理念 | ・全ての子どもが個人として尊重され、差別を受けない
・教育を受ける機会の保障 | ・福祉に係る権利を保障 | ・意見を表明する機会、多様な社会活動に参画する機会を確保 |

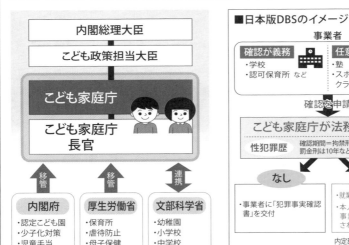

出所：こども家庭庁、内閣府、厚生労働省、文部科学省のウェブサイトを参考に作成

次世代の社会を担う子どもの幸福を支える

少子化が進む一方で、児童虐待の数は年々増加している。子どもの貧困、ヤングケアラーの孤立、待機児童数の増加など、子どもを巡る問題は山積みだ。こうした問題の改善に向けて、2022年6月に「こども基本法」「こども家庭庁設置法」が成立。23年4月に「こども家庭庁」が発足した。

子どもを性被害から守ることを目的として、24年6月「こども性暴力防止法」が成立した。子どもと接する仕事に就く人に性犯罪歴がないかを雇用主が確認する、「日本版DBS（Disclosure and Barring Service）」創設が盛り込まれた。国の認可が必要な学校や認可保育所では、性犯罪歴の確認が義務となる。

子ども政策は、少子化対策は内閣府、保育所や児童相談所は厚生労働省、幼稚園は文部科学省など、関係省庁がバラバラに担当し、対応範囲が違うことで政策の抜け落ちが生まれやすかった。幼稚園等は文部科学省の管轄のままだが、子育て政策をこども家庭庁に集約し、こどもまんなか社会の実現を目指す。

32 東京都知事選 2024

▶知名度の高い小池百合子氏が大勝で3選を果たす
▶2位以下の結果に既存の政党政治への批判が反映
▶選挙ポスターを巡る様々な混乱も。今後の課題に

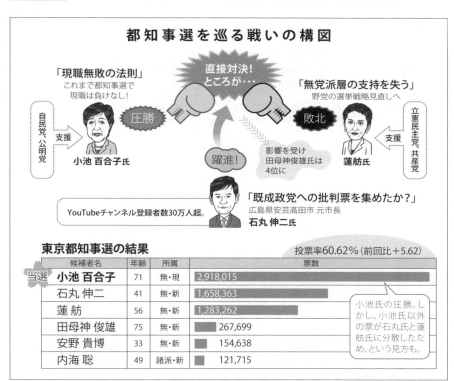

都知事選を巡る戦いの構図

「現職無敗の法則」
これまで都知事選で現職は負けなし！

自民党・公明党 → 支援 → 小池 百合子氏

圧勝

直接対決！ところが…

敗北

「無党派層の支持を失う」
野党の選挙戦略見直しへ

蓮舫氏 ← 支援 ← 立憲民主党 共産党

影響を受け田母神俊雄氏は4位に

躍進！

YouTubeチャンネル登録者数30万人超。

「既成政党への批判票を集めたか？」
広島県安芸高田市 元市長
石丸 伸二氏

東京都知事選の結果

投票率60.62%（前回比＋5.62）

	候補者名	年齢	所属	票数
当選	小池 百合子	71	無・現	2,918,015
	石丸 伸二	41	無・新	1,658,363
	蓮舫	56	無・新	1,283,262
	田母神 俊雄	75	無・新	267,699
	安野 貴博	33	無・新	154,638
	内海 聡	49	諸派・新	121,715

小池氏の圧勝。しかし、小池氏以外の票が石丸氏と蓮舫氏に分散したため、という見方も。

小池氏、圧勝で都知事3期目に

2024年の東京都知事選は7月7日に投開票が行われた。現職の小池百合子氏が290万票あまりを獲得し、他の候補に大差をつけて3回目の当選を果たした。この結果を受けて小池氏は、都知事として引き続き人口問題や防災対策などの重要課題に取り組むことになった。

ポイントは、小池氏の対抗馬と思われた蓮舫氏を石丸伸二氏が破って2位となったことである。東京に支持基盤がなく、政党からの支援も受けなかった石丸氏が政党色の濃い蓮舫氏を破ったことは、既成の政党政治への強い批判の表れと受け止められた。石丸氏がSNS（交流サイト）を効果的に活用したこともあいまって、これまでの選挙戦略を根本的に見直すべきではないかとの見方が政界に広がる。

立候補者は過去最多の56人だった。候補者と関係のないポスターが大量に貼られるなどの混乱が起き、「ネット時代にポスター掲示が本当に必要か」との疑問の声が上がった。さらに政見放送では都政と無関係な主張をする候補者が目立つなど、今後は選挙運動についての規制を強化すべきとの指摘もあった。

33 ジェンダーギャップと女性活躍推進法

★★★

▶ジェンダーギャップとは男女の違いによって生じている
格差のこと。日本のジェンダーギャップ指数はG7で最低
▶女性活躍推進法により女性登用状況の「見える化」を図る

日本のジェンダーギャップ

ジェンダーギャップ指数スコア　日本は118位／146カ国中

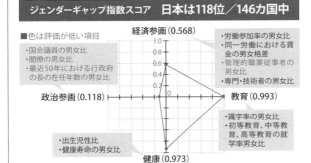

■色は評価が低い項目

経済参画(0.568)

・国会議員の男女比
・閣僚の男女比
・最近50年における行政府の長の在任年数の男女比

・労働参加率の男女比
・同一労働における賃金の男女格差
・管理的職業従事者の男女比
・専門・技術者の男女比

政治参画(0.118)　　　教育(0.993)

・出生児性比
・健康寿命の男女比

・識字率の男女比
・初等教育、中等教育、高等教育の就学率男女比

健康(0.973)

■ジェンダーギャップ指数ランキング（2024年6月発表）

順位	国・地域名	指数
1	アイスランド	0.935
2	フィンランド	0.875
3	ノルウェー	0.875
4	ニュージーランド	0.835
5	スウェーデン	0.816
7	ドイツ	0.810
14	英国	0.789
22	フランス	0.781
43	米国	0.747
…		
118	日本	0.663

■女性国会議員の比率　衆議院 **10.4%**　参議院 **26.7%**

■女性役員の割合 13.4%
政府目標は2030年までに30%！

※衆議院・衆議院のウェブサイトより（2024年2月現在）

女性の登用状況　データ公表のイメージ

	女性労働者の割合	男女別の育児休業取得率	管理職に占める女性労働者の割合	役員に占める女性の割合	男女の賃金の差異		
					全労働者	正社員	パート・有期社員
○×会社	45%	男性3.5% 女性100%	10.0%	1.0%	80.0%	85.0%	75.0%

「採用」「評価・登用」などに関する定められた項目から、企業規模によって1項目または2項目以上の公表が求められている

「女性の管理職比率」
開示義務化へ（25年以降）
（従業員301人以上）

「賃金の男女間格差」
開示義務化（22年7月から）
（従業員301人以上）

出所:（上図）内閣府男女共同参画局「政治分野における男女共同参画の状況」、（下図）厚生労働省「女性の活躍推進企業データベース」を参考に作成

ジェンダー平等は日本の優先課題

　ジェンダーギャップとは、男女間の格差のことで、ジェンダー平等は世界で取り組むべきテーマとなっている。世界経済フォーラムが毎年、男女の格差を数値化したジェンダーギャップ指数を発表。日本は146カ国中118位と、G7で最低となった。「教育」は72位、「健康」は58位だったが、国会議員に占める女性の割合などを評価する「政治参画」が113位、労働参加率の男女比などを評価する「経済参画」が120位だった。政府は衆議院議員、参議院議員の各候補者に占める女性の割合を35%とする目標を掲げているが、現状は衆議院17%、参議院33%。また、「女性版骨太の方針（女性活躍・男女共同参画の重点方針）2023」には、東証プライム市場の上場企業を対象に、女性役員比率を30年までに30%以上とするなどの目標を盛り込んでいる。

　女性の登用状況や賃金の男女格差などについては、女性活躍推進法により、開示を義務付けられている。しかし、女性登用の行動計画が未達成でも罰則規定はなく課題は残る。

34 日本の国境を巡る情勢

★★

ポイント
▶北方領土は第2次世界大戦末期、ソビエト連邦が占領
▶韓国が実効支配する竹島では日韓が領有権を主張
▶日本は尖閣諸島を国有化

領土を巡る各国の主張

北方領土

カムチャッカ半島
オホーツク海
ロシア
樺太（サハリン）
千島列島
ウルップ（得撫）島
択捉島
国後島
北太平洋
北海道
色丹島
歯舞群島
1951年のサンフランシスコ平和条約に基づく国境線

1855年	日魯通好条約…択捉島とウルップ島の間を国境とする
1875年	樺太千島交換条約…日本は樺太（サハリン）を放棄する代わりに、千島列島を領土とする
1905年	ポーツマス条約…ロシアから樺太（サハリン）の北緯50度以南を譲り受ける
1945年	ソビエト連邦が日ソ中立条約を無視して北方四島に侵攻、実効支配する
1951年	サンフランシスコ平和条約…日本は千島列島と樺太（サハリン）を放棄。しかし、北方四島は千島列島に含まれないため、領有権は継続

日本の主張 日魯通好条約により北方四島は日本固有の領土。ロシアが不法に占拠している。

ロシアの主張 米国が千島列島を引き渡すことを条件に、ソ連に対日参戦を促したヤルタ協定が根拠である。

尖閣諸島

東シナ海
中国
尖閣諸島
沖縄県
沖縄本島
与那国島
宮古島
台湾
西表島　石垣島
太平洋

日本の主張 日本固有の領土であることは明らかであり、日本が有効に支配している。解決すべき領土問題は存在しない。

中国の主張 古い文献によると、中国人が最も早く発見、命名、利用したと考えられる。

竹島

鬱陵島
竹島
韓国
日本海
隠岐諸島
島根県

日本の主張 竹島は、歴史的事実の面からも国際法の面からも、明らかに日本固有の領土である。韓国の占拠は不法である。

韓国の主張 朝鮮の古い文献や地図には、「鬱陵島」に並んで「于山島」の名前があり、この「于山島」が現在の独島（竹島の韓国名：トクト）である。

見えぬ解決の糸口

日本政府が認知する国境問題の1つが、北方領土問題だ。第2次世界大戦末期、ソビエト連邦（現ロシア）は北方四島へ侵攻。日本人島民を送還し、現在に至るまで実効支配を続けている。日本は、ソ連軍の侵攻がポツダム宣言受諾の表明後であるとして、一貫して領土の返還を主張している。

北方領土問題の解決に向けて、1992年の4月から元島民（の日本人）と現在の島民（のロシア人）による「ビザなし交流」が行われてきたが、2022年3月にロシアがそれを一方的に破棄。北方領土の平和条約の交渉打ち切りも宣言した。再開のめどは立っていない。

竹島は1954年から韓国が実効支配している。2005年、島根県議会が2月22日を竹島の日とする条例を可決すると、韓国は反発した。

尖閣諸島は中国と台湾が領有権を主張。12年、個人所有であった島を日本政府が国有化すると、中国国内で盛んに反日デモが行われた。中国は、21年2月の海警法成立以降、海警局（日本の海上保安庁に相当）を準軍事組織に位置付け、武器の使用を容認している。

35 国家安全保障と防衛費

★★★

▶各国は軍事力を増強、デジタル化により軍事領域も拡大
▶日本の防衛費は GDP 比 2%へ
▶他国の侵攻抑止に向けて「反撃能力」保有へ

周辺国の脅威と防衛3文書

ロシア

中国

中国
2022年8月に弾道ミサイルを発射し、5発が日本の排他的経済水域（EEZ）内に落下。
南シナ海では、領有権を主張し、人工島を造成し軍事拠点化（テーマ16参照）

北朝鮮

北朝鮮
2022年11月に新型ICBM級弾道ミサイル「火星17」型を発射
2023年12月「火星18」型を発射

尖閣諸島周辺では中国軍艦艇が活動

ロシア
択捉島、千島列島、サハリン南部に地対艦ミサイルなどを配備。
2022年9月には極東地域で中国と合同軍事演習を実施。

台湾

南シナ海

防衛3文書

国家安全保障戦略	**国家防衛戦略**	**防衛力整備計画**
外交、防衛、経済安保などに関する政策の基本指針 国家安全保障に関する最上位の文書	防衛目標とその達成アプローチを示した防衛の戦略的指針	自衛隊の体制、防衛費や主要装備の数量などを示したもの

出所：防衛省「なぜ、いま防衛力の抜本的強化が必要なのか」を参考に作成

▌重要なのは外交努力と抑止力

2022年12月、防衛力の抜本的強化をはかる「国家安全保障戦略」「国家防衛戦略」「防衛力整備計画」からなる「防衛3文書」が閣議決定された。今後5年間で総額43兆円の防衛力整備計画を示した。23年度から27年度の5年間、日本は防衛費強化期間となる。

政府は防衛費についてはGDP（国内総生産）の1%以内を目安としてきたが、北大西洋条約機構（NATO）加盟国並みの2%に高めると決めた。国際秩序に対する不安が高まる中、防衛力の強化に取り組む。23年度は6兆7880億円（防衛省所管分）でGDP比1%を超え、24年度は7兆9172億円でGDP比1.6%とした。25年度予算案の概算要求では、過去最大の8兆5389億円を求めた。

▶▶ 関連キーワード　**自律型致死兵器システム（LAWS）**：AIを搭載し人の関与なしに自律的に攻撃対象を見つけて殺傷するLAWSが、実戦で使用されている懸念がある。23年7月に国連安全保障理事会がAIについて初会合を開き、LAWSの禁止を求めた提言書をまとめた。

多次元統合防衛力の構築

国際社会において軍事もデジタル化。宇宙やサイバー空間まで安全保障の領域が拡大

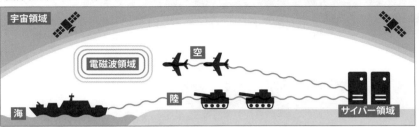

宇宙領域 / 電磁波領域 / 空 / 陸 / 海 / サイバー領域

防衛の新領域

宇宙領域
「宇宙作戦群」が、宇宙ゴミ（スペースデブリ）を監視して人工衛星との衝突を防ぐ活動や、宇宙での情報収集などを実施

サイバー領域
自衛隊へのサイバー攻撃の脅威に対応するための「サイバー防衛隊」の増強が進む。民間企業や米軍との連携など、総合的施策を推進

電磁波領域
相手のレーダーを妨害するなどの電子攻撃、電磁波を無力化する電子防護、電波を分析するなどの電子戦支援、これらの電子戦能力の強化

■ロシアによるウクライナ侵攻における新しい戦い方

- ・大規模なミサイル攻撃
- ・無人ドローンなど多様な無人機による攻撃
- ・情報戦

フェイクニュースにより市民の混乱を招いたり、敵の情報を速やかに察知しリアルタイムで共有するなど。

■防衛力の抜本的強化

侵攻を抑止するため「反撃能力」を保有

「スタンド・オフ防衛能力」など
安全な距離から相手部隊に撃ち込む長射程ミサイルの保有など、対処能力の強化。

■日本の防衛費

5.4兆円
22年度

GDP比1%超え
6.7兆円
23年度

7.7兆円
24年度

過去最大！
8.5兆円
25年度
※予算案

→ 防衛費強化期間（23年度〜27年度）
NATO加盟国の防衛費GDP比2%レベルに

出所：防衛省「なぜ、いま防衛力の抜本的強化が必要なのか」を参考に作成

防衛3文書に「反撃能力」の保有を明記

発射の頻度を増す北朝鮮のミサイルは飛距離を伸ばし、中国は南シナ海で軍事拠点を整備、ロシアは隣国ウクライナに侵攻、択捉島などには地対艦ミサイルを配備している。こうした状況を背景に、防衛3文書にはこれまで議論を重ねてきた、相手のミサイル攻撃に対処するため発射基地などをたたく「反撃能力（敵基地攻撃能力）」の保有が明記された。

宇宙、サイバー、電磁波領域と防衛領域は拡大し、軍事科学技術の発達による新しい戦い方も出てきている。安全保障のための財源や人材育成など課題は多い。宇宙の安全保障を重視し、航空自衛隊は27年度までに「航空宇宙自衛隊」に改称する予定だ。

関連キーワード

台湾有事：台湾統一を目指す中国による、台湾への軍事侵攻のこと。習近平国家主席は台湾統一を「必ず実現できる」と話している。22年8月に米国ペロシ下院議長が台湾を訪れた際、中国が反発し弾道ミサイルを発射。日本の排他的経済水域（EEZ）内にも落下した。

36 農林水産物の輸出拡大と食料自給率

★★★

ポイント
▶農林水産物・食品の輸出額が11年連続増加
▶輸出拡大に向け、輸出重点品目29品目を選定、品目団体認定制度も
▶カロリーベースの食料自給率が低い問題も

日本の農林水産物・食品の輸出拡大と自給率問題

農林水産物・食品の輸出額

（兆円）

11年連続増加

政府目標
2025年 ▶ 2兆円
2030年 ▶ 5兆円

2020年4月
農産物輸出促進法施行

1兆円超え

1兆2382億

1兆4148億

1兆4547億

9121億　9860億

2019　2020　2021　2022　2023（年）

2022年10月施行
改正農林水産物
食品輸出促進法

輸出重点品目の例

生食できる品質に支持

ホタテ貝	牛肉	日本酒	鶏卵
かんしょ等	錦鯉	柿	いちご

焼き芋がアジアで人気急上昇

食料・農業・農村基本計画における食料自給率と目標
輸入が拡大する半面、自給率に課題も

	2020年度	2023年度	2030年度目標
カロリーベース	37%	38%	45%
生産額ベース	67%	61%	75%

■輸出促進団体（品目団体）認定制度
政府は29の輸出重点品目を選定。その品目ごとに輸出先国の市場の調査や広報活動などをする法人を品目団体として国が認定し支援。

■知的財産管理の強化
2021年4月に改正種苗法を施行。シャインマスカットなど新品種を国に登録することで、海外に種苗を持ち出すことなどを制限。また、知的財産管理団体の設立も検討。

出所：農林水産省「農林水産物・食品の輸出拡大実行戦略」などを参考に作成

輸出拡大に動くも、中国が水産物を全面停止

日本の農林水産物・食品の輸出額が2021年に初めて1兆円を超え、23年は過去最高の1兆4547億円、11年連続の増加となった。品目別の輸出額は、1位は前年比3.0%減となったアルコール飲料（1350億円）。2位は24.4%減のホタテ貝（689億円）、3位は11.0%増の牛肉（570億円）だった。アルコール飲料は世界的な物価高や中国の景気後退などの影響を受けて、日本酒（13.5%減）やウイスキー（10.6%減）の輸出が落ちた。

水産物の主力輸出品であるホタテ貝は、中国、香港が輸入規制をした影響が大きい。23年8月に福島第一原発の処理水の海洋放出（テーマ83参照）に中国が抗議、日本の水産物輸入を全面停止すると発表した。現在も輸入停止は続いている。牛肉は、香港や台湾で外食需要が回復し、輸出増になった。

政府は、2025年に輸出額を2兆円まで拡大することを目標に、輸出重点品目を定めて、海外市場での広報活動などを支援する。

水産物の輸出のうち中国、香港向けは4割を占める。輸出拡大を推進していくためには、輸出先の多角化が必要だ。

37 改正道路交通法－自動運転、電動キックボード

★★

ポイント
▶自動運転レベル4の「特定自動運行の許可制度」開始
▶福井県永平寺町で「全国初レベル4」自動運転移動サービス開始
▶一定の要件の下、電動キックボードの免許が不要に

自動運転レベル4と2023年施行の改正道路交通法の主な内容

「自動運転」の主な意義	交通事故の削減／高齢者等の移動支援／ドライバー不足への対応

■自動運転の5段階

ドライバーによる監視	レベル1 フット・フリー	運転支援 1方向だけの運転支援	国産の新型車に自動ブレーキの義務化
	レベル2 ハンズ・フリー	高度な運転支援 縦・横方向の運転支援（自動の追い越し等）	日産「セレナ」やトヨタ「MIRAI」にレベル2相当の機能を搭載
	レベル3 アイズ・フリー	特定条件下における自動運転 条件外ではドライバーが対応	ホンダ「レジェンド」にレベル3相当の機能を搭載
システムによる監視	レベル4 ドライバーフリー	特定条件下における完全自動運転 特定の条件下においてシステムが全ての運転タスクを実施	23年4月1日にレベル4の運行許可制度を盛り込んだ改正道路交通法を施行
	レベル5	完全自動運転 全ての運転タスクを実施。人は関与しない	2030年をめどに実用化

電動キックボード
2023年7月1日から新ルール
一定の要件を満たせば運転免許不要に（特定小型原動機付自転車に区分）
年齢：16歳以上
ヘルメット：努力義務
速度：時速20キロ以下
違反・事故：切符や罰則の対象
保険：自動車損害賠償責任保険の加入義務 など

車体：長さ190センチ以下、幅60センチ以下、ナンバープレート取り付け

自動配送ロボット
（遠隔操作型小型車）
事前届出により公道走行が可能。

■レベル4相当 無人車両の「特定自動運行の許可制度」のイメージ

特定自動運行実施者
申請 ↓ ↑ 許可
都道府県公安委員会

配置

監視所
特定自動運行主任者

遠隔監視ではなく特定自動運行主任者の車内配置でも可。

遠隔監視 →

自動運行装置

出所：国土交通省「自動運転に関する取組進捗状況について」「特定自動運行に係る許可制度の創設について」を参考に作成

人口の少ない地域で活用

改正道路交通法が2022年4月に成立し、23年4月から、自動運転「レベル4」の公道での走行を許可する制度が始まった。レベル4は特定条件下でシステムが全てのタスクを実施する「完全自動運転」となる。都道府県の公安委員会に特定自動運行計画を提出し許可を取り、特定自動運行主任者の遠隔監視の下、自動運転システムが作動する公道を走行することができる。人口が少なく、バスの運転者確保などが難しい地域での活用が見込まれている。福井県永平寺町では23年5月に、全国初の公道でのレベル4運行が始まった。

自動配送ロボット（遠隔操作型小型車）も、自動配送サービスの実現を目指し、事前届出により車体の大きさが内閣府令の基準に該当する場合、公道走行が可能となった。

電動キックボードは23年7月1日から、一定の要件を満たせば特定小型原動機付自転車扱いとなり、16歳以上は免許不要となった。最高速度は時速20km、ヘルメットの着用は努力義務となる。電動キックボードでは死亡事故を含む深刻な人身事故が複数発生しており、新ルールへの懸念も広がっている。

38 マイナンバーカードとマイナ保険証

★★

ポイント
▶ 2024年12月にマイナ保険証に一体化
▶ 利用率の上昇を目指す
▶ 政府はマイナ保険証を持たない人に「資格確認書」を交付予定

手続きが便利になるマイナンバーカード

マイナンバー（個人番号）制度の目的

公平・公正な社会の実現	国民の利便性の向上	行政の効率化
▶ 不正な受給などを防止	▶ 行政手続きの簡素化	▶ 共通番号化でコスト軽減

マイナンバーカード
マイナンバーを証明するカード。本人確認に利用でき、行政手続きのオンライン申請などが可能。

情報のひも付け新ルールは「漢字氏名」「生年月日」「性別」「住所」に加え「カナ氏名」

2024年12月に現行の健康保険証を廃止、マイナ保険証に一体化

廃止後1年間は現行の保険証が利用できる経過措置

■マイナ保険証のメリット

投薬の履歴
特定健診情報

情報等の提供に同意

総合的な診断
重複の投薬を回避

病院窓口で限度額以上の医療費の一時払い不要（限度額適用認定証の手続き不要）。

マイナポータルとe-Taxの連携で医療費控除の確定申告が簡易に。

マイナ保険証を持たない人

「資格確認書」交付

■今後の予定

スマートフォンと一体化

次期マイナンバーカード（26年度予定）

変更点
・性別の項目を削除
・氏名に英語を併記
など

出所：厚生労働省、総務省、デジタル庁のウェブサイトを参考に作成

マイナンバーカードの普及を一気に進める

2016年1月から運用が始まったマイナンバー制度。本人の申請により交付される「マイナンバーカード」と、年金や健康保険など様々な公的機関のサービスをつなぐことで、行政の効率化、簡素化になっている。しかし、カードの普及は進まず、政府は普及を一気に進めるため、健康保険証とマイナンバーカードの一体化を実施する。24年12月から現行の保険証は廃止され、マイナ保険証の保持が事実上義務化となる。マイナ保険証を持たない場合は、「資格確認書」を交付する。マイナ保険証には

病院の支払い手続きや医療費控除の確定申告が簡単になるなどのメリットがある。

厚生労働省の調査によると、マイナ保険証の利用率は24年6月時点で9.9%だった。12月から切り替えとする現行案の実現は厳しいという見方もある。

スマートフォンにマイナンバーカードのすべての機能を搭載できるようにするマイナンバー法の改正法が24年5月に成立した。スマホとの一体化により、利用率の上昇に期待がかかる。また、26年度から「次期マイナンバーカード」の導入が検討されている。

39 成人年齢引き下げ

★★

ポイント
▶改正民法により、成人年齢が 20 歳から 18 歳に引き下げられた
▶飲酒、喫煙、公営ギャンブルは満 20 歳以上を維持

成人年齢引き下げによる変化

18歳からできるようになること	20歳のまま	20歳のまま＋特例規定
● 親の同意なしにクレジットカードやローンの契約 ● 結婚（男女で年齢統一） ● 10年有効のパスポートの取得 ● 性別変更請求 ● 公認会計士や司法書士の資格取得	● 飲酒・喫煙 ● 競馬・競輪などの公営ギャンブル ● 養子をとる	● 少年法の適用年齢 適用年齢を20歳未満とし、18〜19歳は「特定少年」として特例規定を設定、犯罪の一部を厳罰化する。特定少年は起訴された段階で実名報道を解禁

改正少年法で 18 〜 19 歳は厳罰化の対象

　明治時代以降、満 20 歳とされてきた成人の定義が見直され、「18 歳以上」とする改正民法が 2022 年 4 月から施行。18 歳から 10 年有効のパスポートが取得可能になるなどのメリットがある一方、クレジットカードやローンの契約が親権者の承諾なしでできることによるトラブルの懸念もある。また、22 年 4 月施行の改正少年法では、18 〜 19 歳は特定少年として厳罰化の対象となった。

40 消滅可能性自治体

★★

ポイント
▶出産年代の女性が減ることで自治体が消滅の危機に
▶全国で 744 の自治体が該当、東北地方に多い

各都道府県で住人がいなくなる可能性のある自治体の割合

九州・沖縄は少ない

ブラックホール型自治体も
宇宙で星を吸い込むように、他地域から人が流入（東京の16の区、京都市、大阪市など）

東北地方が、数、割合ともに全国最多

| 80%以上 |
| 60〜80%未満 |
| 40〜60%未満 |
| 20〜40%未満 |
| 20%未満 |

出所：人口戦略会議

消滅しないために出生率を上げる努力が必要

　消滅可能性自治体とは、20 代から 30 代の出産年代の女性が 2050 年までの 30 年間で半数以上減ることによって人口が急減し、消滅すると想定される自治体。民間の有識者で構成された「人口戦略会議」が定義し、全国自治体の約 4 割、744 市町村が該当すると発表した。消滅の危機を脱するには、女性の就業や子育ての環境を整えて出生率を上げるといった地道な取り組みを続けるほかない。

確認ドリル

カッコ内に入る言葉を答えよ。

1 経済的格差など、新自由主義の弊害の解消を目指した岸田政権の看板政策を（　　　）主義という。

2 少子化や児童虐待など、子どもを巡る問題を解決するために 2023 年 4 月に発足した組織を（　　　）という。

3 子どもと接する仕事に就く人に性犯罪歴がないか雇用主が確認する制度を、通称（　　　）といい、学校や認可保育所では確認が義務となる。

4 日本の北方四島とは、歯舞群島、色丹島、国後島、（　　　）である。

5 政府は 2022 年 12 月、防衛費の大幅な増額や反撃能力の保有などを盛り込み、戦後の安全保障政策を大きく転換する（　　　）を閣議決定した。

6 政府は 2024 年 12 月に、マイナンバーカードと（　　　）との一体化を目指している。

7 2021 年に農林水産物・食品の輸出額が初めて（　　　）円を超えた。

8 電動キックボードは 2023 年 7 月 1 日から、一定の要件を満たせば特定小型原動機付自転車となり、（　　　）歳以上は免許不要になった。

9 世界経済フォーラムが毎年発表している、男女の格差を数値化した指数を（　　　）といい、2024 年 6 月に発表されたランキングでは日本は 146 カ国中 118 位だった。

10 民法が改正され、成人年齢は 2022 年 4 月に「満 20 歳」から「満（　　　）歳」へ引き下げられた。

【解答】　1. 新しい資本　2. こども家庭庁　3. 日本版 DBS　4. 択捉島　5. 防衛 3 文書
6. 健康保険証　7. 1 兆　8. 16　9. ジェンダーギャップ指数　10. 18

第 4 章

日本経済

「インバウンド消費とオーバーツーリズム」や
「デジタル赤字」といった
旬のテーマのほか、社会保険や年金など、
知っておきたい基本的な制度を紹介。

▶国家予算とは国の歳入（収入）と歳出（支出）の計画
▶国の基本的な行政に必要な歳入・歳出を
　管理するのが一般会計。2024年度は約112兆円

一般会計予算 (2024年度)

一般会計総額　112兆5717億円

歳入と歳出は
同じ額

歳 出 112兆5717億円	=	歳 入 112兆5717億円
いわば支出		いわば収入

歳出

国債費 **24.0%**
防衛費 **7.0%**
社会保障費 **33.5%**
地方交付税 公共事業費 など **35.5%**

社会保障費：医療や年金などの費用。歳出総額の3割を占める

歳入

その他収入 **6.7%**
税収 **61.8%**
国債発行 **31.5%**

国債発行はいわば国の「借金」。歳入の3割を依存している

ポイント

●予算額は2年連続で110兆円超、過去2番目。
●防衛費は7兆9172億円（前年比1兆1292億円の増加）。
●一般予備費を能登半島地震の復興対策のため5000億円追加し計1兆円に。

●歳入の3割は国債。いわば国の借金だが、国債発行による歳入の一部は道路や橋といったインフラ整備など、長年にわたり国民の生活を支えるものに充てられる。

出所：財務省「令和6年度予算のポイント」を参考に作成

2年連続で110兆円台

　2024年3月に成立した一般会計予算の歳出額は112兆5717億円、過去2番目の規模で、2年連続で110兆円台となった。全体の3割を占める社会保障費37兆7193億円、現在の安全保障環境を踏まえて過去最大となった防衛費7兆9172億円、物価高・賃上げ対策予備費1兆円、能登半島地震の復興対策などの

ための一般予備費1兆円、国債の償還や利払いに充てる国債費27兆90億円などが計上された。

　社会保障費は少子化対策の強化や医療従事者の賃上げなどの影響で過去最大となった。防衛費は23年度より1兆1292億円増と大幅に増やし、抜本的強化を図る。地方交付税交付金には「定額減税」による住民税の減収を

関連キーワード　**地方交付税**：本来地方の税収とするべきものを国税として国が徴収し、再配分するもの。全ての地方公共団体が一定の水準を維持できるようにするという目的がある。一部の地方では税収が少なく、地方交付税への依存度が高いことが問題となっている。

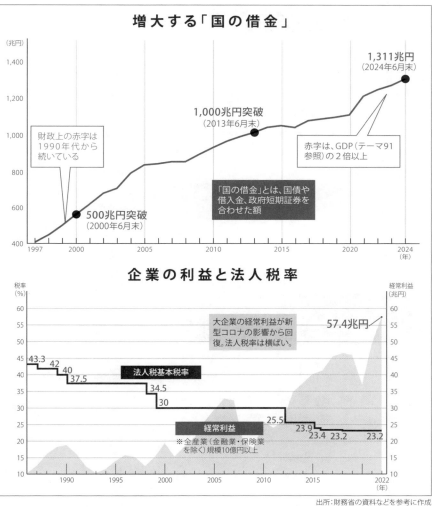

増大する「国の借金」

（兆円）

財政上の赤字は
1990年代から
続いている

500兆円突破
（2000年6月末）

1,000兆円突破
（2013年6月末）

「国の借金」とは、国債や
借入金、政府短期証券を
合わせた額

赤字は、GDP（テーマ91
参照）の2倍以上

1,311兆円
（2024年6月末）

企業の利益と法人税率

税率
（%）

経常利益
（兆円）

大企業の経常利益が新
型コロナの影響から回
復。法人税率は横ばい。

57.4兆円

43.3　42　40　37.5

法人税基本税率

34.5　30

経常利益

25.5　23.9　23.4　23.2　23.2

※全産業（金融業・保険業
を除く）規模10億円以上

出所：財務省の資料などを参考に作成

補填する分が含まれており、23年度より1兆
3871億円増えた。

国債費も過去最大となった。長期金利の上
昇を反映し、利払い費の想定金利を23年度の
1.1%から1.9%に引き上げたことがおもな要因
だ。社会保障費と国債費とで、歳出の約6割
を占める。今後、ほかの成長投資が難しくなる
といった、財政の硬直化が懸念されている。

▌税収は過去最大

一方、歳入の6割を占める税収は、コロナ
禍からの回復がみられ企業業績が向上したこ
と、物価の高騰により消費税増収を見込み、
69兆6080億円となった。歳入の不足を補う
新規国債は35兆4490億円で前年度同様3
割を占めた。24年度の一般会計予算は3割
以上を借金（国債）に頼りながら成立した。

関連キーワード

オープンイノベーション促進税制：2025年度末までに、大企業が設立10年未満の非上場
の新興企業（スタートアップ企業など）に1億円以上出資すれば、出資額の25%を課税
所得から控除できる。従来の新規出資型に加え、23年4月1日以降M&A型が新設された。

42 社会保険

★★

▶ 国民の生活を保障する公的保険のことで
年金、医療、雇用、労災、介護の保険制度がある
▶ 高齢化の影響で、年金・医療・介護等での費用が増加

保障方法からみた社会保障の体系

社会保険
国民の生活を保障する公的保険。
（年金保険・医療保険・介護保険など）

公的扶助
生活困窮者に対し、国や地方自治体が最低限の生活保障をするための経済的援助。
（生活保護）

社会福祉
障害者や児童、高齢者など特別に援助を必要とする人々に対する支援。
（障害者福祉、児童手当、高齢者福祉など）

公衆衛生
地域で疾病などを予防し、生命を延長し、身体的・精神的機能の増進を図る。
（結核・感染症施策、予防接種など）

社会保険のしくみ

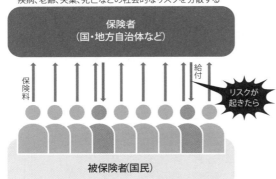

疾病、老齢、失業、死亡などの社会的なリスクを分散する

保険者
（国・地方自治体など）

保険料　給付

リスクが起きたら

被保険者（国民）

社会保険の種類

年金保険
年金給付には、老齢年金、障害年金、遺族年金がある。

医療保険
健康保険などの職域保険と国民健康保険などの地域保険に分かれる。

介護保険
要介護度により、介護保険から給付される支給上限額が異なる。

労災保険
労働者の業務災害または通勤災害に対し生活費などが支給される。

雇用保険
失業者への給付、教育訓練給付など。

社会保険のしくみ

　社会保障の目的は、疾病・老齢・要介護・出産・失業・死亡などの場合に一定の保障を行い、国民生活の安定を図ること。わが国の社会保障は、社会保険、公的扶助、社会福祉、公衆衛生から構成されている。このうちの社会保険とは、国などが保険という方法で保険料の拠出を条件にリスクが発生したときに給付を行う社会保障の中心的な制度である。社会保険には、年金・医療・労災・雇用の各保険制度と 2000 年 4 月から実施された介護保険がある。

社会保障給付費は増加傾向

　社会保障給付費は、高齢化の進展に伴い、年金・医療・介護などでの費用を中心に拡大してきた。しかし 22 年度は 137 兆 8337 億

関連キーワード

サービス付き高齢者向け住宅（サ高住）：主に民間が運営するバリアフリー対応の賃貸住宅を指すが、一部に国の指定を受けた介護型もある。国は 2025 年までにサ高住を含む高齢者住宅の割合を 4％（146 万戸）に増やす目標を立て、補助金を出すなど支援している。

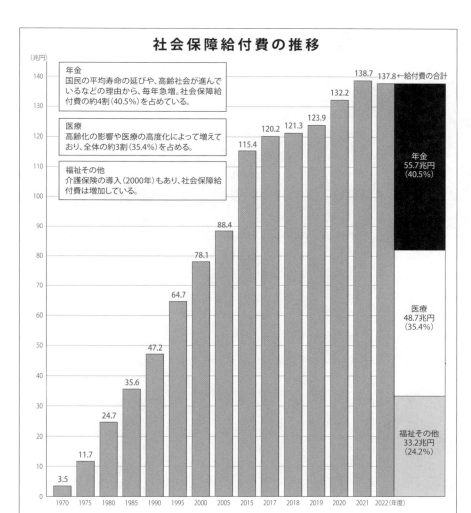

社会保障給付費の推移

（兆円）

年金
国民の平均寿命の延びや、高齢社会が進んでいるなどの理由から、毎年急増。社会保障給付費の約4割（40.5%）を占めている。

医療
高齢化の影響や医療の高度化によって増えており、全体の約3割（35.4%）を占める。

福祉その他
介護保険の導入（2000年）もあり、社会保障給付費は増加している。

138.7　137.8 ←給付費の合計

年度	給付費
1970	3.5
1975	11.7
1980	24.7
1985	35.6
1990	47.2
1995	64.7
2000	78.1
2005	88.4
2015	115.4
2017	120.2
2018	121.3
2019	123.9
2020	132.2
2021	138.7
2022	137.8

年金 55.7兆円（40.5%）
医療 48.7兆円（35.4%）
福祉その他 33.2兆円（24.2%）

出所：国立社会保障・人口問題研究所「社会保障費用統計」を参考に作成

円で1950年度から初の減少になった。新型コロナ禍の雇用対策費の減少が影響した。

　社会保障給付費の内訳は、年金が55兆7908億円と約4割（40.5%）を占め、次いで医療48兆7511億円（35.4%）となっている。

　国内総生産（GDP）における社会保障給付費の割合は24.33%。コロナ禍前の19年度の22%台に比べると高かった。

　2025年には団塊の世代がすべて75歳以上になり、社会保障費の拡大が見込まれる。医療費を抑えるため22年10月から、一定の所得がある後期高齢者（75歳以上）の医療費窓口負担が1割から2割に引き上げられた。持続可能な制度の構築が急がれ、政府は2040年頃を展望した社会保障改革を議論している。

関連キーワード　　**社会保障給付費**：社会保険（年金保険、医療保険など）や公的扶助、社会福祉事業などによって行われる社会保障制度に要する費用を国際労働機関（ILO）の定めた基準に基づいて計算したものである。

43 年金制度

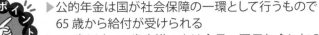

ポイント
▶ 公的年金は国が社会保障の一環として行うもので 65 歳から給付が受けられる
▶ 20 歳以上 60 歳未満の人は全員、国民年金に加入

年金制度の構造

私的年金	3階部分	iDeCo	iDeCo（個人型確定拠出年金）→テーマ44参照		
		国民年金基金	企業年金等なし	企業年金（企業型DC、確定給付企業年金等）	年金払い退職給付
公的年金	2階部分		厚生年金		
	1階部分	国民年金			
		自営業 第1号被保険者	会社員 第2号被保険者	公務員など	専業主婦（夫）第3号被保険者

年金制度の体系

わが国の年金制度は、20 歳以上 60 歳未満の全国民が加入し、65 歳以上の高齢期となれば年金の給付を受けられる。基礎年金である「国民年金」（1 階部分）と、基礎年金の上乗せとして報酬比例年金となる会社員などの「厚生年金保険」からなる（2 階部分）。さらに、個人や企業の選択で、自営業者などに対する基礎年金の上乗せ年金として「国民年金基金」や「個人型の確定拠出年金」があり、厚生年金の上乗せ年金としては「厚生年金基金」などがある（3 階部分）。

年金制度の課題と法改正

公的年金制度は、現役世代の保険料によって今の高齢者を支える世代間扶養の考えで成り立っている。少子高齢化が進み、年金受給

関連キーワード　**第 3 号被保険者**：国民年金は全国民が加入するが、職業によって加入形態が異なる。自営業者・無職者・学生などの第 1 号被保険者、会社員・公務員の第 2 号被保険者に対し、会社員・公務員の配偶者（専業主婦・夫）は、第 3 号被保険者となる。

公 的 年 金 の 給 付 と 負 担

年金扶養比率：保険料を負担する加入者数を年金の受給権者数で割った数値（図は国民年金）

2000年度 3.43人	2005年度 2.87人	2010年度 2.40人
2013年度 2.15人	2018年度 2.01人	2022年度 1.97人

2人以下で
1人を支える

公 的 年 金 制 度 の お も な 課 題

世代間の不公平感	少子高齢化が進行するにつれ、世代間の不公平感が拡大
非正規雇用者の増加	非正規雇用者や低賃金の就労者が、年金保険料を支払えない
年金制度自体への不信・不安	制度が破たんするのではないかという不安感の広がり。 制度の分かりにくさ。官民格差

■2025年の公的年金制度改革に向けて検証する5項目

項目	狙い	課題
①厚生年金の加入要件を緩和	パート労働者のほぼ全員が加入可能になる	・手取り収入が減る個人も ・事業主は拠出が増える
②国民年金（基礎年金）の加入期間延長 40年（20〜60歳）→45年（20〜65歳）	納付額を増やす	・保険料の負担感が強まる　25年の改正では見送りが決定
③国民年金（基礎年金）の 給付抑制期間を短縮	納付額を増やす	・財源の確保
④収入がある高齢者の年金受給額を減らす、 在職老齢年金の見直し	年金の減額分を緩和し、 高齢者の「働き控え」を抑える	・年金財政を悪化させる要因に
⑤高所得者が払う保険料の 上限の引き上げ	年金財政の持続性を高める	・高所得者からの反発

項目にはないが、「第3号被保険者制度の見直し」も重要課題の1つ

出所：厚生労働省「公的年金財政状況報告」を参考に作成

者である高齢者を支える若い世代が減少していることから、今後さらに現役世代への負担が重くなると推測される。

　年金制度は5年ごとに大きな改正が行われる。次回は2025年で、24年4月に厚生労働省は改正に向けて検証する5項目を発表した。①厚生年金の加入要件の緩和②国民年金（基礎年金）の加入期間の延長③国民年金

の給付抑制期間の短縮④在職老齢年金の見直し⑤高所得者の保険料の上限引き上げの5項目。ただし、②は見送られることが決まった。

　パート労働者が厚生年金に入るには、企業規模が51人以上で賃金や週の労働時間の要件を満たす必要があった。要件の緩和によって、パート労働者が厚生年金に加入できるようになると、将来受けとる年金の額が増える。

 関連キーワード　　**所得代替率**：年金給付時（65歳）の金額が現役世代の手取り収入額と比較してどのくらいの割合か示すもの。2024年度の所得代替率は61.2%で、19年度から0.5ポイント下がった。

44 iDeCo（イデコ）

★★

▶公的年金に上乗せして給付を受ける私的年金の1つ
▶確定拠出年金のうち個人型の年金で、所得控除の対象
▶年齢上限を「70歳未満」に引き上げる予定

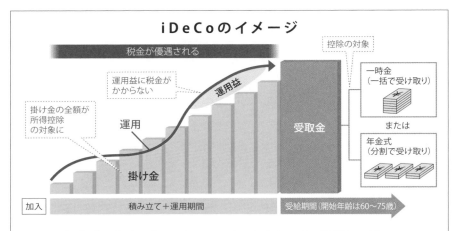

iDeCoのイメージ

税金が優遇される

運用益に税金が
かからない

運用益

掛け金の全額が
所得控除
の対象に

運用

受取金

掛け金

控除の対象

一時金
（一括で受け取り）

または

年金式
（分割で受け取り）

加入　　　積み立て＋運用期間　　　受給期間（開始年齢は60〜75歳）

確定拠出年金における個人型と企業型の違い

個人型		企業型
自分の意思で加入	加入	会社が退職金制度として導入している場合に加入
337.1万人（24年6月時点）	加入者数	830万人（24年3月末時点）
自分が負担	掛け金	会社が負担
自分の口座から振替	納付方法	会社から納付
自分が契約する金融機関で用意している商品から選ぶ	運用商品	会社が用意する商品から選ぶ
自分が選択	金融機関の選択	会社が選択
自分が負担	口座管理料	会社負担のケースが多い

2022年10月から企業型の加入者は原則個人型も併用して加入することが可能。

個人型確定拠出年金

iDeCoは、国民年金（1階部分）、厚生年金（2階部分）などの公的年金に上乗せして給付を受ける私的年金（3階部分）の1つ。私的年金とは、自らの意思で積み立てする民間団体による年金のこと。従来は自営業者（第1号被保険者）や企業年金のない会社員のみを加入対象としていたが、現在は、20歳から65歳未満の全ての人が原則加入可能になっている。

掛け金は月額5000円以上で、1000円単位で増額できるが、職業によって限度額が異なる。60歳未満での解約はできず、積み立て資産が受け取れるのは60歳からとなる（受給開始年齢の上限は75歳）。運用成績により受取額が変動するリスクはあるが、掛け金全額が所得控除され、運用益も非課税だ。なお、年齢の上限を「65歳未満」から「70歳未満」に引き上げることが検討されている。

2016年12月時点で30.6万人だった加入者数は、24年6月時点で337.1万人にまで増えている。政府は貯蓄を投資に向ける「資産所得倍増プラン」を掲げ、iDeCoやNISA（少額投資非課税制度）の制度改革を進めており、さらに加入者を増やす計画だ。

45 インバウンド消費とオーバーツーリズム

★★

ポイント
▶円安効果もあり、訪日外国人によるインバウンド消費が拡大
▶政府目標の年間総額5兆円を突破
▶各地でオーバーツーリズム対策が広がる

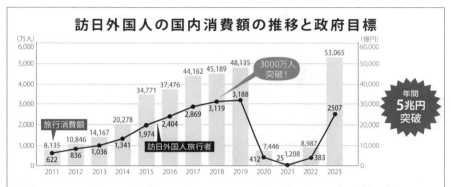

訪日外国人の国内消費額の推移と政府目標

（万人）　　　　　　　　　　　　　　　　　　　　　　　　（億円）

旅行消費額

訪日外国人旅行者

3000万人突破！

8,135 / 622（2011）
10,846 / 836（2012）
14,167 / 1,036（2013）
20,278 / 1,341（2014）
34,771 / 1,974（2015）
37,476 / 2,404（2016）
44,162 / 2,869（2017）
45,189 / 3,119（2018）
48,135 / 3,188（2019）
7,446 / 412（2020）
25 / 1,208（2021）
8,987 / 383（2022）
53,065 / 2507（2023）

年間
5兆円
突破

政府による主な目標		
持続可能な観光　消費額拡大　地方誘客促進		
	2019年	2025年
1人あたり消費額	15.9万円	**20万円**
1人あたり地方部の宿泊数	1.4泊	**2泊**
持続可能な観光に取り組む地域	2022年12地域	**100地域**
国際会議の開催件数	アジア2位	**アジア最大**

■オーバーツーリズム対策の例

●富士山（山梨側・吉田ルート）
・入山規制（1日4000人）
・入山料　1人2000円

●広島・宮島訪問税
1回100円

●宿泊税
東京都　1泊100〜200円
京都市　1泊200〜1000円　ほか

■改善すべき課題
宿泊業・飲食業の人手不足、
デジタル化の遅れなど

出典：日本政府観光局「訪日外客数」、国土交通省「観光立国推進基本計画」、「令和5年版 観光白書」を参考に作成

持続可能な観光を目指す

インバウンド消費とは、訪日外国人による日本国内の消費のことを指す。新型コロナウイルス禍の渡航制限により、2020〜22年は大きく落ち込んだが、新型コロナの5類移行後の23年には訪日外国人は2507万人、旅行消費額は5兆3065億円に達した。円安も追い風となった。政府は「観光立国推進基本計画」（23〜25年）で「持続可能な観光」「消費額拡大」「地方誘客促進」をキーワードとして掲げ、さらに拡大を狙う。

一方で、旅行者の増加による渋滞や騒音などのオーバーツーリズム（観光公害）に頭を悩ませる地域が増えている。23年10月から広島県廿日市市は「宮島訪問税」の徴収を開始した。厳島神社がある宮島を訪れる人に1人1回100円を課す。登山者のトラブルや事故が多発した富士山は、24年7月に山梨側の吉田ルートで初めて入山規制と入山料の徴収を行った。抑制効果があったことから、静岡側ルートも25年からの導入を検討している。

コロナ禍以前より続く観光関連業の人手不足やデジタル化の遅れなども、緊急で解決すべき課題だ。

46 家計金融資産と新NISA

★★

ポイント
- ▶日本の各世帯が保有する金融資産は2000兆円超え
- ▶金融資産の約半分を現金・預金で保有
- ▶「貯蓄から投資へ」、政府はNISAの非課税限度額を引き上げ

家計金融資産の残高と新NISAの概要

家計の金融資産の割合（2024年3月末）

保険・年金・定型保証 24.6%
その他 3.6%
2199兆円
現金・預金 50.9%
株式等 14.2%
投資信託 5.4%
債務証券 1.3%

> 家計金融資産は2199兆円で過去最高！そのうち50.9%は現金・預金で保有

現金・預金を投資へ！

項目	旧NISA		現行NISA	
	つみたてNISA	一般NISA	つみたて投資枠	成長投資枠
最大利用可能額	800万円	600万円	1800万円	
			内数として1200万円	
年間投資上限額	40万円	120万円	120万円	240万円
非課税保有期間	最大20年	最大5年	無期限	
制度選択	併用不可		併用可	
口座開設期間	～2023年末		2024年1月～制度恒久化	
対象年齢	18歳以上		18歳以上	

出所：日本銀行「2024年第1四半期の資金循環（速報）」、金融庁「NISAの利用状況の推移（2024年3月末時点）」

少額から投資が可能

日本の各世帯が保有する家計金融資産が2024年3月末時点で過去最高の2199兆円となった。家計金融資産は、「現金・預金」「債務証券」「投資信託」「株式等」「保険・年金・定型保証」「その他」に分けられているが、最も多いのが「現金・預金」での保有で約50%を占める。投資は、債務証券、投資信託、株式等で約20%だ。政府は「資産所得倍増プラン」を掲げ、この家計にとどまる現預金約1100兆円を投資に向けさせて市場を活性化し、個人の所得も増やすことを目指している。

投資の促進に向けて、24年から制度を拡充した新しい少額投資非課税制度（NISA）が始まった。金融庁によると、24年3月期のNISA口座数は2323万件で前年同期比で2.1倍に増えた。

NISAとは、少額から投資ができ、株式や投資信託等への投資から得られる配当金や分配金、譲渡益が非課税となる制度で、「つみたて投資枠」と「成長投資枠」の2つの種類がある。24年からは併用が可能。また、非課税保有期間や口座開設期間が決められていたが、前者は無期限化、後者は恒久化となる。

47　デジタル赤字

★★

ポイント
▶海外デジタルサービスの利用が広がり通貨が海外流出
▶国内でお金が還流するようデジタル産業の育成を

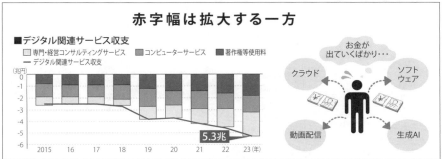

赤字幅は拡大する一方

■デジタル関連サービス収支
□専門・経営コンサルティングサービス　■コンピューターサービス　■著作権等使用料
－デジタル関連サービス収支

（兆円）
0
-1
-2
-3
-4
-5
-6

2015　16　17　18　19　20　21　22　23（年）

5.3兆

お金が
出ていくばかり・・・

クラウド　ソフトウェア

動画配信　生成AI

出所：財務省・日本銀行「国際収支統計」を基に三菱総合研究所作成

今やお金を払って使わせてもらう「小作人」に

デジタル赤字とは、海外のデジタルサービスを利用することで日本の通貨が流出し、赤字となっている状況のこと。日本のデジタルサービスを海外のユーザーが利用するケースは少ない

ため、赤字は拡大する一方だ。GAFAなど（地主）にお金を払ってサービスを利用するばかりで、日本全体が「デジタル小作人」になると危惧する声もある。赤字の解消には、日本のデジタル産業の育成が急務である。

48　インボイス制度

★★

ポイント
▶消費税額を適正に申告、納税するための制度
▶事業者間での売買には消費税額等を明記したインボイスを交付

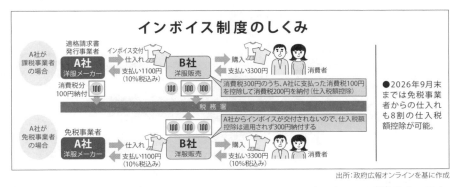

インボイス制度のしくみ

A社が
課税事業者
の場合

適格請求書
発行事業者

インボイス交付
A社
洋服メーカー

仕入れ
支払い1100円
（10%税込み）

B社
洋服販売

購入
支払い3300円

消費者

消費税分
100円納付
100

100　100　100

消費税300円のうち、A社に支払った消費税100円を控除して消費税200円を納付（仕入税額控除）

税　務　署

●2026年9月末までは免税事業者からの仕入れも8割の仕入税額控除が可能。

A社が
免税事業者
の場合

免税事業者
A社
洋服メーカー

仕入れ
支払い3300円
（10%税込み）

B社
洋服販売

支払い3300円
（10%税込み）

消費者

100　100　100

A社からインボイスが交付されないので、仕入税額控除は適用されず300円納付する

出所：政府広報オンラインを基に作成

事業者が仕入税額控除を受けるのに必要

2023年10月からインボイス制度が開始。インボイスとは取引した商品ごとに消費税の税率や税額が明記された請求書のことで、国に納める消費税額を計算するために使われる。取引先

がインボイス登録を行った課税事業者の場合、インボイスが交付され、消費税の納付の際に仕入税額控除を受けることができる。免税事業者との取引では、インボイスが交付されないので、仕入税額控除が適用されない。

確認ドリル

カッコ内に入る言葉を答えよ。

1 国の基本的な行政に必要な歳入・歳出を管理する一般会計の 2024 年度予算は約（　　　　）兆円である。

2 2024 年度の一般会計予算では、歳入の（　　　　）割は国債である。

3 公的年金は、基礎年金である国民年金と、その上に会社員らが加入する（　　　　）などによる複数の階層で成り立っている。

4 年金保険・医療保険・介護保険など国民の生活を保障する公的保険の総称を（　　　　）という。

5 確定拠出年金には、企業型と（　　　　）と呼ばれる個人型がある。

6 訪日外国人による日本国内での消費のことを、一般に（　　　　）消費という。

7 日本の家計金融資産は 2024 年 3 月末時点で 2199 兆円に達した。このうち、最も多いのが現金・預金で全体の（　　　　）％を占める。

8 2024 年から年間投資枠を拡大する新しい少額投資非課税制度の通称を（　　　　）という。

9 国内で海外のデジタルサービスを利用することで日本の通貨が流出し、赤字となっている状態を（　　　　）という。

10 2023 年 10 月から始まった、消費税額を適正に申告、納税するための制度を（　　　　）という。

【解答】 1. 112　2. 3　3. 厚生年金　4. 社会保険　5. iDeCo（イデコ）　6. インバウンド　7. 50.9
8. NISA　9. デジタル赤字　10. インボイス制度

第5章

業界・企業

業界・企業に関連した基礎的なテーマや話題を掲載した。
産業界の「今」を知り、「これから」を見通すためにも、
しっかり理解しよう。

49 企業合併・買収

★★

▶企業合併・買収は、企業の経営戦略や
　海外直接投資の1つで、M&A（合併・買収）といわれる
▶近年、海外M&Aの動きが活発になっている

企業の合併・買収のイメージ

合　併

A社　　　B社

↓

新社名

・2つの企業が1つになる
・新しい社名になるか、吸収した企業の社名が残る

買　収

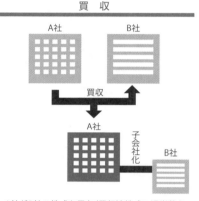

・A社がB社の株式を保有（発行済株式の過半数を保有）し、B社は存続する
・企業全体ではなく、一部の事業だけ買うこともある

企業合併・買収（M&A）のメリット・デメリット

メリット	デメリット
・業界内でのシェアを拡大 ・海外でのビジネス拡大 ・新しい技術の取り入れ ・事業の多角化 ・既存ブランドや商品の獲得	・従業員の増大によるコスト増 ・企業文化の融合の難しさ ・事業譲渡の手続きの煩雑さとコスト ・事業計画の見直しが必要 ・企業の価値の算定の難しさ

企業戦略としてのM & A

　企業合併・買収は、企業の経営戦略や海外直接投資の1つで、M & A（Mergers & Acquisitions：合併・買収）といわれる。米国では、19世紀後半に株式会社が普及した後、19世紀末から20世紀にかけて多くのM & Aが起こり、大企業が次々と誕生した。M & Aを行う利点としては、既存企業を買うことで企業が大型化し、シナジー効果（相乗効果）が期待できる。また初めから事業を立ち上げるよりも時間がかからない。一方で、買収先との企業文化の違いやコスト増の問題から失敗したり、苦戦する場合もある。

　近年、グローバル化の進展に伴い、海外直接投資の重要性が高まり、日本企業が海外企業を買収する動きが活発だ。その一方、24年

資本提携：企業同士が互いの株式を持ち合い、協力関係を強化すること。片方の企業のみが株式を持つこともある。経営支配権がない10%程度の株式を取得して、独立した関係を保つことが多い。経営が安定し、第三者からの買収防衛になるといったメリットがある。

日本企業が関係するＭ＆Ａ

■M&Aの件数と取引金額（2023年）　※カッコ内は前年比

M&A件数	イン-アウト 661件 (+5.8%)	アウト-イン 283件 (-15.3%)	イン-イン 3,071件 (-8.2%)	合計 4,015件 (-6.7%)
取引金額 (百万米ドル)	54,283 (+134.1%)	13,774 (-50.0%)	51,751 (+85.2%)	119,809 (+52.3%)

イン-アウト：日本企業が買い手で外国企業が対象となるM&A
アウト-イン：外国企業が買い手で日本企業が対象となるM&A
イン-イン：買い手および対象が共に日本企業となるM&A

■日本企業が買収した外国企業の地域（イン-アウトの地域別状況）（2023年）

北米　250件　38,110（百万米ドル）

欧州　151件　6,261（百万米ドル）

ASEAN　110件　4,981（百万米ドル）

ASEAN以外のアジア諸国　84件　1,074（百万米ドル）

オセアニア　31件　3,402（百万米ドル）

中東　18件　62（百万米ドル）

中南米　9件　354（百万米ドル）

アフリカ　8件　37（百万米ドル）

■おもな巨額Ｍ＆Ａ（2023〜2024年）　(注)決議ベース、金額は概数

買い手	対象	金額
日本製鉄	米国　USスチール	2兆円
日本産業パートナーズ	東芝	2兆円
産業革新投信機構	JSR	9000億円
アステラス製薬	米国　アイベリック・バイオ	8000億円

米政府が買収を阻止する方向へ？

出所：レコフ

8月にはセブン＆アイ・ホールディングスがカナダのコンビニエンスストア大手、アリマンタシォン・クシュタールから6兆円規模の買収提案を受けるなどの動きもある。

┃M&Aの主な手法、TOBとMBO

M&Aの手法の1つ「TOB（株式公開買い付け）」は、企業の経営権取得などを目的として株の買い取りを希望する人が、買い付け期間、買い取り株数、価格を公表。不特定多数の株主から株式を買い取る。「MBO（経営陣による企業買収）」もM&Aの一形態で、経営陣が株主から株式を譲り受けたり、事業部門や子会社の経営を任された執行責任者らがベンチャーキャピタルなどの投資会社の資金支援を得たりして、親会社などから株式を取得し、独立する。

関連キーワード　**業務提携**：企業がお互いの利益のために、資材調達・物流、技術開発、販売営業活動、人材交流など業務上の協力をすること。重複するような事業を業務提携することで、経費削減にもつながる。

50 上場企業・非上場企業

ポイント ★★

▶企業は上場企業と、それ以外の非上場企業に大別される
日本企業の大部分は非上場の中小企業
▶非上場の中小企業にも優良企業は多い

証券取引所と市場の種類

市場名	市場の種別	特徴
東京証券取引所 （東証）	プライム市場	流通株式時価総額100億円以上など、日本の大企業の多くを扱う
	スタンダード市場	流通株式時価総額10億円以上など、中堅企業
	グロース市場	成長性の高い新興企業やベンチャー企業が集まる
	TOKYO PRO Market	特定の投資家のみに限定されている市場
大阪証券取引所		2013年に東京証券取引所に統合
名古屋証券取引所 （名証）	市場第一部	中京地区の大企業が多い
	市場第二部	中京地区の中堅企業が多い
	セントレックス	新興企業向け
札幌証券取引所 （札証）	札証	北海道地区に関連ある企業が多い
	アンビシャス	新興企業向け
福岡証券取引所 （福証）	福証	九州地区に関連ある中堅企業が多い
	Q-board	新興企業向け

▢ ベンチャー企業などを中心とした新興市場

企業が上場区分の見直しに動く

市場再編
2022年4月
3市場区分で始動

- プライム市場
- スタンダード市場
- グロース市場

経過措置の適用 プライム市場の上場基準に満たなくても、市場第1部の企業は経過措置としてプライム市場に移行。経過措置の適用期間（原則26年3月末）

プライム市場 主な上場基準

株主数	800人以上
流通株式時価総額	100億円以上
流通株式比率	35％以上
1日平均売買代金	0.2億円以上

適合していない企業数（22年12月）
269社（重複除く）

| 227社 |
| 38社 |
| 77社 |

23年9月末
スタンダード
市場へ
or
26年3月末
までに上場
基準を満たす

出所：東京証券取引所のウェブサイトを参考に作成

上場企業は大企業が多い

株式が証券取引所で売買されている企業を上場企業という。全国の証券取引所に上場する企業の数は約4000社ある（外国企業を除く）。

上場・非上場のほか、企業は資本金や従業員数の規模により、中小企業とそれ以外の大企業にも分類できる。上場するには、資本金を含む純資産や利益について一定額以上の基準を満たさなければならない。このため上場企業には大企業が多い。上場企業は広く一般の投資家に株式を購入してもらえるため、非上場企業よりも資金の調達がしやすい。厳しい上場基準を満たすことで知名度や信頼度が高まるため、取引を有利に進めたり、優秀な人材を集めやすい。

関連キーワード **MBO**：Management Buyout の略で、経営陣が自社を買収して独立すること。買収防衛や経営の自由度を高める意図から上場企業が非上場化する際などによく見られる。なお経営陣と従業員が一緒に株式を譲り受けることを MEBO という。

政府によるプライム市場上場企業の女性役員比率の目標

2023年	2025年めど	2030年までに
東京証券取引所は、右記の目標達成に向けて行動規範を改定した	女性役員を1人以上選任	女性役員の比率30%以上

株式上場のメリット・デメリット

メリット	デメリット
資金調達が容易になる	買収されるリスクが増す
財務体質の改善など経営体制の健全化	上場を維持するためのコスト
社会的信用度と知名度の向上	情報を開示する義務がある
社員の士気の向上	様々な株主への対応
優秀な人材の確保が容易になる	高い社会的責任を負う

著名な非上場企業

竹中工務店 （建設）	YKK （非鉄金属）	日本IBM （ソフトウエア）	サントリー （飲料）	ロッテ （食品）	森ビル （不動産）

■企業分類の変更

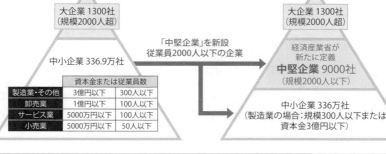

大企業 1300社（規模2000人超）

中小企業 336.9万社

	資本金	または従業員数
製造業・その他	3億円以下	300人以下
卸売業	1億円以下	100人以下
サービス業	5000万円以下	100人以下
小売業	5000万円以下	50人以下

「中堅企業」を新設
従業員2000人以下の企業

大企業 1300社（規模2000人超）

経済産業省が新たに定義
中堅企業 9000社（規模2000人以下）

中小企業 336万社（製造業の場合：規模300人以下または資本金3億円以下）

出所：経済産業省の資料、中小企業庁ウェブサイトを参考に作成

▎2022年4月に市場を再編

　2022年4月には、東京証券取引所（東証）が上場市場区分を再編。市場第一部、市場第二部、マザーズ、ジャスダックの4市場から、プライム、スタンダード、グロースの3市場体制となった。市場第一部の中にはプライム市場の基準を満たしていない企業もあったが、経過措置としてプライム市場に移行した。しかし、26年3月末までに基準に達していない企業（3月決算企業）は監理銘柄に指定し、早くて同年10月に上場廃止にするという。

　また、東証はプライム市場に上場する企業に対し、女性役員比率を22年の11.4%から30年までに30%にするよう、上場企業の行動規範を改定した。

関連キーワード

IPO：Initial Public Offering の略で、不特定多数の投資家が自由に売買できるよう、未上場だった企業が株式を証券取引所に新たに上場すること。その動向は株式市場の活気を示すバロメーターとされる。

51 業界・企業のトピック

ポイント ★★
▶ CO₂削減、環境負荷の低減、工程の短縮、コスト削減などの技術開発に注目
▶ 新技術の導入で産業構造に影響も

CO₂排出量削減は全業界の課題 (図はすべて略図またはイメージ)

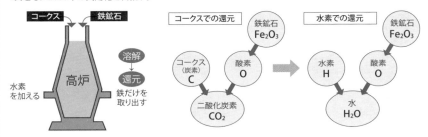

鉄鋼業界 水素を活用した製鉄技術

鉄鋼業は、エネルギーを起源とするCO₂排出量が最も多い業界。そこで鉄を作る際に水素を加えることでCO₂を10％削減できる高炉水素還元技術を開発中。また、高炉で発生したCO₂を分離・回収する技術の開発も進め、ともに2030年の実用化を目指す。

コークス 鉄鉱石
高炉
溶解／還元
鉄だけを取り出す
水素を加える

コークスでの還元
鉄鉱石 Fe_2O_3
コークス（炭素）C　酸素 O
二酸化炭素 CO_2

水素での還元
鉄鉱石 Fe_2O_3
水素 H　酸素 O
水 H_2O

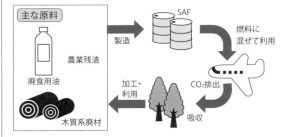

主な原料
廃食用油
農業残渣
木質系廃材

製造
SAF
燃料に混ぜて利用
CO₂排出
加工・利用
吸収

航空業界
再生航空燃料（SAF）の利用

再生航空燃料（SAF：Sustainable Aviation Fuel）は、廃食油や都市ごみ、廃材などの廃棄物や植物から作るバイオ燃料で、「持続可能な航空燃料」の意味。政府は、2030年から本邦エアラインの燃料の1割をSAFにするよう、石油元売りに義務付ける。

出所：経済産業省、資源エネルギー庁のウェブサイトを基に作成

CO₂削減への具体的な取り組み

近年の産業界の重点課題は、脱炭素をはじめとする環境問題への取り組みと、デジタル化による生産性の向上、そしてイノベーションなど。日本経済団体連合会（経団連）と政府は連携し、企業や団体が二酸化炭素（CO₂）排出ゼロに向けた取り組みの中で、イノベーションを起こす「チャレンジ・ゼロ」の活動を支援。参加企業・団体は195に上り、専用サイトに事例の数々を掲載している。

産業部門の中で最もCO₂の排出量が多く、その4割を占める鉄鋼業界では、鉄を作る際に発生するCO₂の削減に向けて水素を使った新しい製鉄技術の開発に取り組む。さらに発生したCO₂を分離・回収する技術開発にも取り組むなど、イノベーションを進めている。航

関連キーワード

人工光合成：トヨタグループの豊田中央研究所は、太陽光を利用して、水とCO₂から有用物（ギ酸）を生成する人工光合成の開発に取り組んでいる。ギ酸から水素を取り出してCO₂を排出しない水素エネルギーとして活用することが期待される。

生産性、リサイクルも課題 (イラストはイメージ、図はすべて略図)

自動車業界

ギガキャスト

トヨタ自動車は、2026年に発売する電気自動車(EV)に新生産技術「ギガキャスト」を採用予定。大型の鋳造設備を導入し、複数のアルミ部品を1つのパーツとして一体成型。車体の前部、中央、後部の3つに分けた生産を検討し、前部、後部をそれぞれ1部品とする。これにより工程の短縮、コスト削減に。

【車体の後部の生産(試作)】
86板金部品・33工程
→1部品・1工程

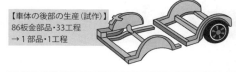

建設・住宅業界

3Dプリンター住宅

立体的な造形物を生成できる3Dプリンターを使った住宅の需要が広がっている。3Dプリンターは曲面の壁の製作が得意なので、型枠の工期を短縮、また同時に配管設備などの製作もできるなど、時間、コストをともに削減できる。スタートアップは販売を開始、大手ゼネコンの大林組や竹中工務店などでも開発を進めている。

生活用品業界

水平リサイクル (使用済み製品から同じ製品を作る)

使用済み製品を材料化し、再び同じ製品に作り替え、使用と再生のリサイクルを循環させる。CO_2の排出量を大幅削減できる。「ボトル to ボトル」と称されるペットボトルの水平リサイクルが代表的。生産量が上昇傾向にある使用済み紙おむつを水平リサイクルする取り組みも始まっている。

ペットボトルの例

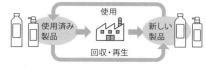

CO_2排出量約60%削減
ペットボトルを石油由来原料から製造する場合と比べてCO_2を約60%削減できる。

紙おむつ水平リサイクル例

CO_2排出量約90%削減
ユニ・チャームのウェブサイトによると、大人用紙おむつ100人分を1年間リサイクルすると焼却処理にかかっていたCO_2排出量を約87%削減。

出所:トヨタ自動車のウェブサイト、環境省「使用済紙おむつの再生利用等に関するガイドライン」(令和2年3月)などを参考に作成

空業界では燃料の一部を、持続可能な航空燃料である再生航空燃料(SAF)に置き換えてCO_2排出の抑制を進めている。

生産性向上と環境負荷の低減を両立

トヨタ自動車が従来の生産工程を大幅に短縮する新生産技術「ギガキャスト」を発表し、注目を集めている。また、3Dプリンターを活用し短期間に家を建てる3Dプリンター住宅は、23年1月に髙島屋が福袋の目玉として販売したことでも話題となった。企業は、生産性の向上を進め、工程短縮、コスト削減を目指すが、それにより不要になる部品や生産を担ってきた企業にとっては新たな課題となる。生活用品業界では、使用と再生が循環し、新たな材料が不要になる、環境に優しい「水平リサイクル」の取り組みが進んでいる。

▶▶ **関連キーワード**

アップサイクル:売れ残り品や余剰品などの廃棄物を再加工してデザイン性や機能性など付加価値を高め、新たな製品に生まれ変わらせること。廃棄衣類の布地をデザイン性の高い洋服に変えたり、野菜ジュースの搾りかすで高品質な洋菓子を作るなどの例がある。

52 SaaS、PaaS、IaaS

★★

ポイント
▶ インターネットを利用したクラウドサービス
▶ 低コスト、短期間でシステム構築が可能に
▶ セキュリティー要件の設定などで不便さも

ネットワーク技術の進化でクラウドが利用しやすく

■ クラウドのイメージ

クラウド

自宅　データを保管する →　**インターネット上に保管する**　→ 保管したデータを受け取る　**外出先**

さっきの仕事の続きをしよう

自宅で作業　　利用者は場所を移動　　外出先で作業

■ パッケージ型とSaaSの違い

パッケージ型	**SaaS**
ソフトウエアをインストール	インターネット経由で利用、保存

昔はパッケージ型だったがSaaSに変わった例	マイクロソフト「Word」「Excel」、アドビ「Illustrator」など

必要な時に必要な分だけ利用できる

SaaS(サース／サーズ)、PaaS(パース)、IaaS(イアース／アイアース) は、クラウドサービスの種類である。データを保管するためのストレージやサーバー、ソフトウエアなどを、インターネットを通じて利用者が必要な時に必要な分だけ利用できる仕組みで、自社でシステム開発環境を整えるより低コストで済む。クラウド

サービスはネットワーク技術や、機器などをソフトウエアに置き換える仮想化技術の発展により普及してきた。

SaaS (Software as a Service) は利用者がインターネット経由でソフトウエアを使う仕組み。ソフトをインストールしなくても、インターネット上で利用できる。サイボウズの業務管理ソフトやラクスの経費精算ソフトは SaaS の

関連キーワード

クラウドファースト：新規システムの構築や既存システムの更新の際、クラウドサービスの利用を優先的に検討する考え方のこと。2018年6月、政府は「クラウド・バイ・デフォルト原則」を打ち出した。

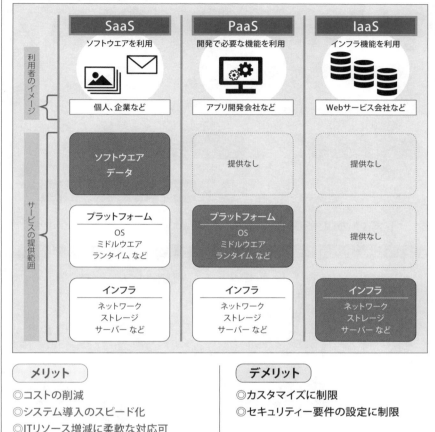

導入が速くて安いが自由度に制限も

■SaaS、PaaS、IaaSのイメージ

	SaaS	PaaS	IaaS
	ソフトウエアを利用	開発で必要な機能を利用	インフラ機能を利用
利用者のイメージ	個人、企業など	アプリ開発会社など	Webサービス会社など
サービスの提供範囲	ソフトウエア データ	提供なし	提供なし
	プラットフォーム OS ミドルウエア ランタイム など	プラットフォーム OS ミドルウエア ランタイム など	提供なし
	インフラ ネットワーク ストレージ サーバー など	インフラ ネットワーク ストレージ サーバー など	インフラ ネットワーク ストレージ サーバー など

メリット
◎コストの削減
◎システム導入のスピード化
◎ITリソース増減に柔軟な対応可

デメリット
◎カスタマイズに制限
◎セキュリティー要件の設定に制限

一例だ。

海外IT企業が高いシェアを獲得

SaaSに似た仕組みに、PaaS（Platform as a Service）とIaaS（Infrastructure as a Service）がある。PaaSはアプリケーションを開発するために必要なプラットフォームを提供し、IaaSは情報システムの稼働に必要なネットワークやサーバーなどを提供する。IaaSでは、アマゾン、マイクロソフトなどの海外の巨大テック企業が大きなシェアを握っている。

SaaS、PaaS、IaaSは初期費用や維持費が安いなどのメリットがあるが、カスタマイズに制限があったり、セキュリティー要件を詳細に設定できなかったりなどのデメリットもある。業務内容や扱う情報の機密性に合わせた選択が求められる。

▶ **関連キーワード**

オンプレミス (on-premises)：サーバーなどのハードウエアやソフトウエアなどを、使用者が管理する施設内に設置・運用する形態のこと。クラウド運用のシステムと区別するために、自社運用のシステムはオンプレミスと呼ばれるようになった。

★★

▶製品がつくられ、消費者に届くまでの高度な部品・在庫管理のしくみ。多数の部材メーカーが関わっている
▶サプライチェーンが国内製造業の競争力を支えている

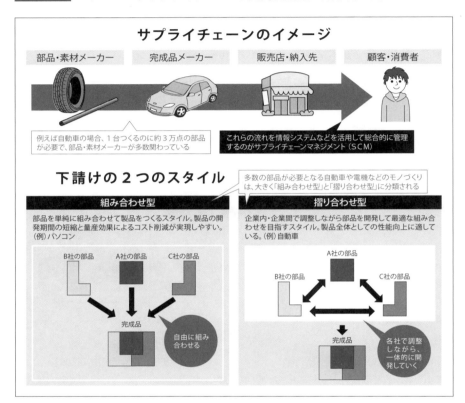

サプライチェーンのイメージ

| 部品・素材メーカー | 完成品メーカー | 販売店・納入先 | 顧客・消費者 |

例えば自動車の場合、1台つくるのに約3万点の部品が必要で、部品・素材メーカーが多数関わっている

これらの流れを情報システムなどを活用して総合的に管理するのがサプライチェーンマネジメント（SCM）

下請けの2つのスタイル

多数の部品が必要となる自動車や電機などのモノづくりは、大きく「組み合わせ型」と「摺り合わせ型」に分類される

組み合わせ型

部品を単純に組み合わせて製品をつくるスタイル。製品の開発期間の短縮と量産効果によるコスト削減が実現しやすい。（例）パソコン

B社の部品　A社の部品　C社の部品
完成品
自由に組み合わせる

摺り合わせ型

企業内・企業間で調整しながら部品を開発して最適な組み合わせを目指すスタイル。製品全体としての性能向上に適している。（例）自動車

A社の部品
B社の部品　C社の部品
完成品
各社で調整しながら、一体的に開発していく

サプライチェーンの管理を徹底

　原材料や部品の調達から生産、物流、販売まで、製品が消費者に届くまでの一連のプロセスをサプライチェーン（供給網）といい、部品や素材メーカーなど多数の企業が関わっている。日本の自動車や電機などの完成品メーカーは、高度な情報システムを駆使して最適な生産量を予測し、部材メーカーから必要分を随時調達する効率的なサプライチェーンを構築している。

「摺り合わせ」で高品質を実現

　サプライチェーンで企業同士が強固な関係を築き上げていることは、日本の製造業の競争力の源泉となっている。代表例が自動車だ。自動車の性能は、部品ごとの仕様や加工の微妙な違いに大きく左右される。1台の自動車

関連キーワード

ロジスティクス：顧客のニーズに合わせて調達、生産、販売に至るまでの物流を合理化する経営手法や考え方。サプライチェーンマネジメントの一部とも捉えられる。流通関連で、ロジスティクスという言葉を企業名に含む企業が増えている。

災害に強いサプライチェーンのための対策例

生産の分散

国内の生産拠点を増やしたり、生産の一部を海外企業に委託。

生産情報の集約

下請けの生産情報をデータベース化。災害時に代替調達などの迅速な対応が可能に。

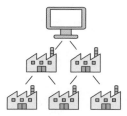

電源・燃料の確保

自家発電設備を備えたり、自前で車両用の燃料を備蓄。

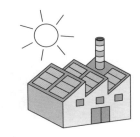

海外現地法人の撤退状況

新型コロナウイルス感染症拡大を機に海外から撤退する企業が増加。

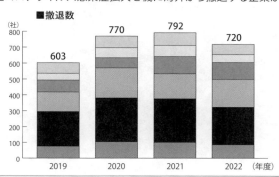

■撤退数

- 2019: 603
- 2020: 770
- 2021: 792
- 2022: 720

(社)　0〜800

■北米　■中国　■ASEAN　■欧州　■その他アジア　■その他

※「撤退」は「解散、撤退・移転」及び「出資比率の低下（日本側出資比率が0％超10％未満となった）」社数。

出所:（下図）経済産業省「海外事業活動基本調査」

をつくるには約３万点の部品が必要で、これらを組み立てて高品質・高性能の車両を仕上げるには、自動車メーカーと部材メーカーとの調整が必須だ。この調整作業は「摺り合わせ」と呼ばれ、各部品メーカーの連携が強いほど調整しやすい。日本の自動車メーカーは車種ごとにきめ細かく摺り合わせをして、高品質・高性能の自動車をつくり出している。

ただし、電気自動車（EV）へのシフトや、デジタル化による生産工程の効率化などが進み、サプライチェーンにも変化の兆しが見えてきている。また、海外にサプライチェーンを置いている企業がコロナ禍のロックダウンにより生産が滞るなどの経験や、技術移転といった安全保障上の問題などから、企業は生産拠点の分散や国内回帰に動いている。

関連キーワード

ジャスト・イン・タイム：「必要なものを、必要なときに、必要なだけ」生産するという思想やこれを実現するしくみ。トヨタ自動車の生産方式の１つとして有名で、「かんばん方式」ともいわれる。

54 企業連合・異業種連携

ポイント ★★★

▶競争環境の変化が企業の連携を促している
▶各社の強みを生かし合い、自社だけでは難しい技術やサービスの開発が可能

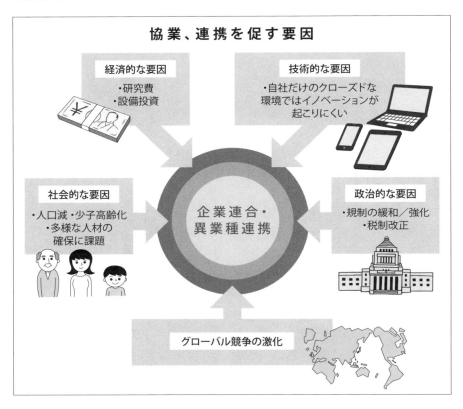

協業、連携を促す要因

経済的な要因
・研究費
・設備投資

技術的な要因
・自社だけのクローズドな環境ではイノベーションが起こりにくい

社会的な要因
・人口減・少子高齢化
・多様な人材の確保に課題

政治的な要因
・規制の緩和／強化
・税制改正

企業連合・異業種連携

グローバル競争の激化

経営資源の集中で競争力を高める

業界内の競争環境の変化、人材確保の難しさ、自前の技術への閉塞感など、様々な要因が重なり、M&Aや企業間での連携が進んでいる。企業連携は、経営資源の集中で競争力を高め、また、産業界、大学、国の連携（産学官連携）は、技術開発とともに人材の育成、規制緩和などを一体で進められるといったメリットがある。

ホンダ・日産・三菱が連携

世界の電気自動車（EV）市場において、日本の自動車メーカーは海外企業に後れをとっている。2024年8月に本田技研工業（ホンダ）、日産自動車、三菱自動車は、電気自動車を制御する車載ソフトウエアを共通化することを発表した。3社で協業することで、開発費の削減や高性能な技術の導入を目指す。

 関連キーワード

破壊的イノベーション：これまでにない技術などによって、産業構造に大きな変化をもたらすこと。移動に変革を起こした、ウーバーテクノロジーズのタクシー配車アプリが例として挙げられる。既存製品を革新していくことは「持続的イノベーション」といわれる。

企業連合・異業種連携の例

■企業連合など協業の例

自動車	食品	半導体
「車載ソフトウエアを共通化」	**「食品工場向けのロボットを共同開発」**	**「米国シリコンバレーに拠点を設ける」**
本田技研工業（ホンダ）、日産自動車、三菱自動車は、電気自動車を制御する車載ソフトウエアを共通化する。	キユーピー、カゴメ、日清製粉グループ本社、ニチレイフーズ、永谷園の食品5社とロボットを手掛けるテックマジックが提携。「未来型食品工場コンソーシアム」を立ち上げた。	日本はレゾナック・ホールディングス、東京応化工業、TOWAなど、米国からはKLAなどが参加し、「US-JOINT」を設立。シリコンバレーに拠点を設けて米テック大手との連携を円滑にする。

※概要、参加企業は2024年8月時点

■自動車の異業種連携の例

MaaSによる連携
（MaaS：ユーザーごとに、最適な移動手段を提供すること）

 トヨタ自動車 × ソフトバンク

強み 自動車開発・製造技術、自動運転・走行データ

強み 通信技術・ビッグデータ解析・AI・ロボット

▶新たなモビリティサービスの構築を目指す新会社「MONET Technologies（モネ テクノロジーズ）」を設立（2018年）。

▶ホンダ、日野自動車、スズキなど7社が資本業務提携。

▶企業間の連携を進める組織体「MONETコンソーシアム」も設立（2019年3月）。小売り、運輸、不動産、金融など幅広い業種から約800社が参画している（2024年8月）。

電気自動車で連携

 ホンダ × ソニーグループ

強み 自動車、二輪車開発

強み AV機器、エンターテインメント

▶電気自動車（EV）を共同開発し、2025年をめどに発売。

▶新たにEV事業に向けた新会社「ソニー・ホンダモビリティ」を22年9月に設立。

ソニーグループは、20年1月に独自開発のEVの試作車「VISION-S」を、22年1月にはSUVタイプの試作車「VISION-S 02」を発表している。

食品では、24年7月に食品大手5社と新興ロボット企業が参加する「未来型食品工場コンソーシアム」が立ち上がった。食品工場で使うロボットを共同で開発する。汎用性の高いロボットを開発することで、導入費用を抑える狙い。工場の人手不足に対応する。

半導体のレゾナック・ホールディングスが中心となって、半導体の後工程に関わる日米10社による企業連合「US-JOINT」が設立された。シリコンバレーに拠点を設けて、米テック大手との連携を円滑にする。稼働は25年夏頃の予定だ。

100年に1度といわれる大変革期にある自動車業界では、トヨタ自動車とソフトバンク、ホンダとソニーグループが組み、CASE（テーマ73参照）を推進する。

 関連キーワード　**建設業のジョイントベンチャー（JV）**：複数の建設業者が共同で工事を受注・施工する「共同企業体」のこと。大規模工事のときなどに結成する「特定建設工事共同企業体（特定JV）」や、中小・中堅建設業者が協業する「経常建設共同企業体（経常JV）」などがある。

55 企業経営に関わるビジネス用語

▶企業を理解するには、ビジネス用語を理解することが大切
▶グローバル化により、外国語をビジネス用語として
多用するケースが増えている

知っておきたいビジネス用語

▼CEO

Chief Executive Officerの略で最高経営責任者の意味。企業戦略の策定や経営方針の決裁など、経営事項に関わる責任を負う。米国型の企業統治をする上での役職のこと。

▼CSR

Corporate Social Responsibilityの略で企業の社会的責任の意味。企業が法令遵守や利益貢献といった責任を果たすだけでなく、より高次の社会貢献をする活動。

▼IR

Investor Relationsの略。「投資家向け広報」と訳される。株式市場において投資家や株主の投資判断に必要な情報を提供していく企業の広報活動。

▼コンプライアンス

コーポレートガバナンスの基本原理の1つ。法律や倫理、社会規範に反することなく行動する、法令遵守に基づいた企業活動のこと。企業不祥事が多発されることから、重視されるようになった。

▼コアコンピタンス

他社には真似のできない、競争手段として有効な自社ならではの技術や核となる事業のこと。例えば、富士フイルムは同社のコアコンピタンス（技術）を、化粧品などの新分野に生かして成功している。

▼IFRS

International Financial Reporting Standardsの略で国際会計基準のこと。日本で用いられている会計基準には、主に日本基準、米国基準、IFRS基準があるが、IFRSへの移行が増加している。

▼サスティナブル

Sustainable。「持続可能な」という意味。企業におけるサスティナブルとは、自然環境や社会環境などの問題に取り組みつつ、持続可能な社会を目指した経営をしていくことなどをいう。

▼ステークホルダー

Stakeholder。企業を取り巻く利害関係者を指す言葉。具体的には顧客・株主・債権者・従業員・取引先のほか、地域社会（住民）や行政機関などとされる。

カタカナ用語は意味を理解して使おう

ビジネスのグローバル化により、大手企業では世界の投資家から評価を得るために会計基準を国際基準に変更し、欧米式の経営に転換している。そのため、外来語がビジネスの現場でも多用されている。

実際に企業のオフィシャルサイトや採用ページに目を通すと、日常生活ではあまり使わない言葉を目にするだろう。新聞や雑誌などから企業情報を読み解くためには、そうしたビジネス用語を背景とともに理解しよう。

上にあげたものは、おもに企業経営に関わる用語。カタカナ用語は言葉の定義が曖昧になりがちなので、意味をおさえてから使おう。

CxO（最高〇〇責任者）で表す役職名も増えており、CTO（最高技術責任者）、CMO（最高マーケティング責任者）、CIO（最高情報責任者）、CHRO（最高人事責任者）などがある。また、英語の頭文字で表現するものも多く、ものづくりの3要素を表す「QCD」（Quality〈品質〉、Cost〈コスト〉、Delivery〈納期〉）や、Company（自社）、Customer（顧客）、Competitor（競合相手）の3つのCから戦略を考える「3C分析」などの用語がある。

56 株式時価総額
★

▶企業の価値などが分かる指標の1つ
▶株価×発行済み株式数で計算

株式時価総額の計算方法

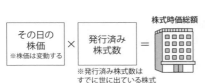

| その日の株価
※株価は変動する | × | 発行済み株式数
※発行済み株式数はすでに世に出ている株式 | = | 株式時価総額 |

例　株価 500円 × 発行済み株式数 1万8000株 = 900万円

東京証券取引所のプライム市場に新規上場する場合の時価総額の基準は100億円以上

トヨタは60兆円超えも

株式時価総額は、企業の価値などが分かる指標の1つで、「株価」に「発行済み株式数」を乗じて出すことができる。企業が革新的な技術や新商品、環境への取り組みを発表する

など、評価する好材料があると株価が上がり、時価総額も上昇する。トヨタ自動車は2024年3月に日本企業で初めて時価総額が60兆円を超えた。好業績、ギガキャストなど生産改革の取り組みが評価された。

57 無形資産
★★

▶企業のデータベースやブランド価値など、可視化できない資産
▶経済のデジタル化に伴い、無形資産の価値が高まる

無形資産3つの分類

■無形資産の種類

情報化資産	革新的資産	経済的競争能力
・受注ソフトウエア ・パッケージソフトウエア ・自社開発ソフトウエア ・データベース	・自然科学分野の研究開発 ・資源開発権 ・著作権及びライセンス ・他の製品開発、デザイン、 　自然科学分野以外の研究開発	・ブランド資産 ・企業固有の人的資本 ・組織構造

出所：内閣府のウェブサイトを参考に作成

人的資本も無形資産

土地、建物、機械設備などの有形資産に対して、データベースやブランド価値（のれん代）など、目に見えない資産を無形資産という。無形資産はソフトウエアやデータベースなどの

「情報化資産」、研究開発（R&D）やデザインなどの「革新的資産」、人的資本や組織などの「経済的競争能力」の大きく3つに分類される。経済のデジタル化に伴い、無形資産の価値がますます高まっている。

カッコ内に入る言葉を答えよ。

1 M & A（合併・買収）の手法の1つで、株を取得したい人が、買い付け期間、買取株数、価格を公表して、株主から株式を買い取ることを（　　　）という。

2 経営陣が自社を買収して独立することを（　　　）という。

3 経済産業省の企業分類に、大企業、中小企業のほかに、（　　　）が追加された。

4 東京証券取引所（東証）が 2022 年 4 月、上場市場区分を再編した。最上位市場は（　　　）市場となった。

5 大型の鋳造設備で複数のアルミ部品を1つのパーツとして一体成型し、大型の車体部品を作る技術を（　　　）という。

6 使用済み製品を材料化し、再び同じ製品に作り替え、使用と再生のリサイクルを循環させることを（　　　）という。

7 原材料や部品の調達から生産、物流、販売まで、製品が消費者に届くまでの一連のプロセスを（　　　）という。

8 企業を取り巻く利害関係者のことを（　　　）という。

9 企業が法律や倫理、社会規範に反することなく行動することを（　　　）という。

10 企業のブランド資産など、目に見えない資産を（　　　）資産という。

【解答】1. TOB（株式公開買い付け）　2. MBO　3. 中堅企業　4. プライム　5. ギガキャスト
6. 水平リサイクル　7. サプライチェーン　8. ステークホルダー
9. コンプライアンス（法令遵守）　10. 無形

第6章

労働・雇用

「雇用契約」「育児休業」から「賃上げ」、
スポットワークなどの「新しい働き方」といったテーマまで、
働くことに関する法律や制度をまとめた。
働くうえで必要な
知識をしっかり身に付けよう。

58 人手不足問題

ポイント ★★★

▶情報サービス業や建設業で特に深刻
▶「2025年問題」によって、さらに人手不足に
▶業務の自動化や人材の再教育などの対応が進む

人手不足は深刻な問題

■人手不足の割合の推移（各年7月時点）

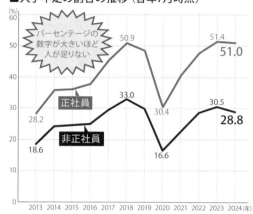

パーセンテージの数字が大きいほど人が足りない

正社員
非正社員

28.2
18.6
33.0
30.4
16.6
30.5
51.4
50.9
51.0
28.8

2013 2014 2015 2016 2017 2018 2019 2020 2021 2022 2023 2024 (年)

■正社員の不足割合（上位5業種）

		2023年7月	2024年7月
1	情報サービス	74.0%	71.9%
2	建設	68.3%	69.5%
3	メンテナンス・警備・検査	68.2%	65.9%
4	旅館・ホテル	72.6%	65.3%
5	運輸・倉庫	64.3%	63.4%

人手不足の主な原因

◎労働人口の減少、都市に人が集中
◎待遇（賃金、福利厚生など）
◎人材需要と働く人の希望の不一致
◎働き方に対する価値観の変化

人手不足によって起こる問題

◎「今いる人たちでがんばるしかない…」
▶残業時間の増加、休暇取得数の減少
◎「注文があっても対応できない…」
▶業績悪化、倒産

出所：帝国データバンク「人手不足に対する企業の動向調査」（2024年7月）

人手不足で倒産するケースも

国内の労働人口が減少する中、人手不足問題が深刻化している。企業が業務を遂行する上で必要な人材が確保できず、業務に支障が出たり、最悪の場合は事業縮小や倒産を余儀なくされたりする。正社員が不足している企業の割合が高い業種は、情報サービス業71.9%、建設業69.5%などだ。

企業経営にとって人手不足問題は最重要課題であり、厚生労働省も「働き方改革推進本部」を各都道府県労働局に設置するなど働き方の見直しに本腰を入れているが、本質的な課題解決には至っていないのが現状である。

2025年から慢性化のおそれ

建設・運輸業界では、働き方改革関連法で残業の上限が規制されたことで労働時間が減

関連キーワード

アルムナイ採用：自社を退職した人材をアルムナイと呼び、その再雇用に力を入れる企業が増えている。企業や事業に対する理解があり、また、業務経験もあることから即戦力として考えられており、人手不足の解消に寄与すると期待されている。

働き方改革の取り組み

背景	●労働力不足 ●生産性の低さ

解消に 向けて	●日本の雇用システムや 働き方を見直す ・長期雇用 ・年功型賃金 ・無限定正社員

取り組み	●長時間労働の是正 ●非正規雇用の処遇改善 ●柔軟な働き方への 環境の整備

2024年問題、何があった？

建設、運輸など、
もともと人手不足の業界で
「時間外労働の上限規制」が
スタート

⬇

…これまでのように
長時間労働ができない！

⬇

物流会社、メーカーなど

鉄道や船、飛行機などを利用
モーダルシフト

企業同士が協力
共同配送

■人手不足の対策

業務の自動化、省力化	賃上げ
学び直し（リスキリング）の実施	働きやすい環境の整備
シニア人材の活用	多様な働き方への対応
外国人材の活用	新しい採用手法の導入

など

り、人手不足が加速した。これが2024年問題である。各社とも業務の効率化や、共同配送といった合理化への取り組みなどに追われた。

より深刻なのが「2025年問題」である。これは2025年にいわゆる団塊の世代がすべて75歳以上となり、日本の高齢化率が異例の高水準となることを指す。その結果、人手不足は慢性化し、企業の生産性は低下して、日本経済全体が活力を失うと危惧されている。

こうした事態への対応として、人工知能（AI）やロボットを活用した自動化・省力化、労働者の生産性向上のための学び直し（リスキリング）、シニアや外国人材の活用といった取り組みが進められている。海外企業との人材獲得競争に負けないために、賃上げなどの労働環境の改善も重要である。

▶▶ **関連
キーワード**

定年制の廃止：高年齢者雇用安定法の経過措置期間が終了し、2025年4月から定年を65歳まで引き上げるか、65歳までの継続雇用を制度化するか、定年制を廃止するかが企業に求められる。これを契機に日本でも定年制の廃止が進むとする見方もある。

★★

- ▶ テレワークが普及し、新しい働き方が定着
- ▶ 職務内容に基づく雇用関係であるジョブ型雇用が広がる
- ▶ 正社員の副業やすきま時間に働くスポットワークも浸透

これまでの「当たり前」を見直し

■日本の正社員の雇用慣行

会社は長期の雇用を保障する				
	職務	受け持つ仕事の内容・範囲が不明確	仕事内容が	限定されない
	労働時間	職務が限定されないため、仕事が際限なく増えやすい。長時間労働に陥りやすい	働く時間が	
	勤務地	勤務地は会社都合で決まる。転勤や配置転換の命令には原則従わなくてはならない	働く場所が	

3つの無限定

導入が進む働き方

在宅勤務 自宅などでの就業

オフィス（勤務先）

地方で働くことも

ジョブ型雇用	原則テレワーク	転勤廃止	副業OK
主な導入企業：KDDI、NEC、NTT、日立製作所、富士通、三菱ケミカル	主な導入企業：NTT、ディー・エヌ・エー(DeNA)、東芝、富士通	主な導入企業：JTB 、NTT、富士通	主な導入企業：IHI、キリンホールディングス、三井住友海上火災保険

※上記の導入企業は職種や役職によって制度適用外の場合がある。

テレワークを起点に新しい働き方が広がる

コロナ禍やデジタルトランスフォーメーション（DX）の浸透を契機に、会社に出勤して仕事をする従来の働き方から、テレワークやスポットワークなどの新しい働き方が定着した。

これまで日本の正社員の雇用環境は、「職務の無限定」「労働時間の無限定」「勤務地の無限定」という「3つの無限定」があった。

しかし、新型コロナウイルスの感染拡大によってテレワークが普及したことをきっかけに、多様な働き方が生まれている。

テレワークによって出社が不要になり、転居を伴う転勤を廃止した企業もある。東京都産業労働局の調査（2023 年 11 月調査）によると、東京都内の企業（従業員 30 人以上）のテレワーク導入率は 60.1％。テレワーク主体から出社

 関連キーワード **ハイブリッドワーク**：従来型のオフィスワークとテレワークを組み合わせた働き方。企業はオフィス空間の省スペース化によってコスト削減ができ、働き手は場所に縛られず、必要に応じて出社と在宅を柔軟に切り替えられる。

主体的な働き方が広がる

■無限定正社員制度とジョブ型雇用の違い

日本の従来型無限定正社員		欧米のジョブ型正社員
新卒一括採用	採用	必要に応じて経験者を採用
職務内容が明記されていない採用		職務内容を明記した採用
職務が限定されていない	職務	職務が限定されている
人事部主導の異動	異動	社内公募が主となる異動
年齢・勤続年数で変わる賃金制度	賃金	職務に対応した賃金制度
終身雇用	解雇	仕事がなくなれば解雇も

■スポットワーク（すきまバイト）のイメージ

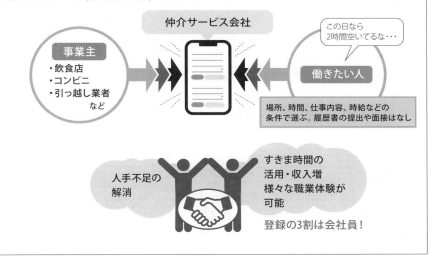

仲介サービス会社

事業主
・飲食店
・コンビニ
・引っ越し業者
など

この日なら2時間空いてるな…

働きたい人

場所、時間、仕事内容、時給などの条件で選ぶ。履歴書の提出や面接はなし

人手不足の解消

すきま時間の活用・収入増
様々な職業体験が可能

登録の3割は会社員！

主体に切り替えた企業があるものの、原則テレワークとする企業もある。

｜個人の主体的・自律的なキャリア形成に

　会社と個人が合意した職務内容（ジョブ）に基づく雇用関係であるジョブ型雇用を導入する企業も増えている。終身雇用や年功序列といった無限定正社員と違い、成果で評価される雇用制度である。

　社員の成長や学び直しにもつながることから副業を認める企業が増えているほか、時間の有効活用を考える人が短時間働くスポットワークも定着してきた。

　こういった新しい働き方は、個人が主体的に仕事と向き合うことにつながる。同時に個人には今後、より自律的なキャリア形成が求められるようになる。

▶▶ **関連キーワード**　**ワーケーション**：ワーク＋バケーションの造語。職場でも自宅でもなく、観光地やリゾート地でリフレッシュしながら仕事するというスタイル。デジタル端末や通信インフラが浸透したことで、こうした働き方も十分可能になった。

60 育児休業・ワークライフバランス

ポイント ★★

▶原則1歳未満の子どもを養育するために取得できる
▶育児休業を取得する男性が増加するもまだ少数派
▶ワークライフバランス充実に向けた環境づくりが進む

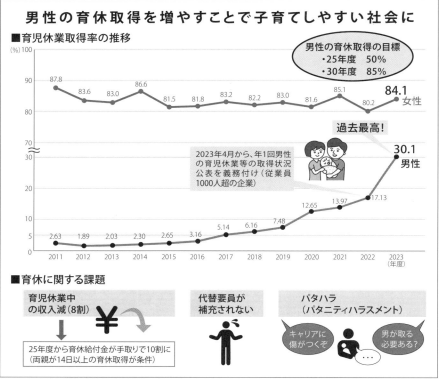

男性の育休取得を増やすことで子育てしやすい社会に

■育児休業取得率の推移

男性の育休取得の目標
・25年度　50%
・30年度　85%

女性：87.8 / 83.6 / 83.0 / 86.6 / 81.5 / 81.8 / 83.2 / 82.2 / 83.0 / 81.6 / 85.1 / 80.2 / 84.1

過去最高！ 30.1 男性

2023年4月から、年1回男性の育児休業等の取得状況公表を義務付け（従業員1000人超の企業）

男性：2.63 / 1.89 / 2.03 / 2.30 / 2.65 / 3.16 / 5.14 / 6.16 / 7.48 / 12.65 / 13.97 / 17.13 / 30.1

2011　2012　2013　2014　2015　2016　2017　2018　2019　2020　2021　2022　2023（年度）

■育休に関する課題

育児休業中の収入減（8割） ¥

→ 25年度から育休給付金が手取りで10割に（両親が14日以上の育休取得が条件）

代替要員が補充されない

パタハラ（パタニティハラスメント）
「キャリアに傷がつくぞ」
「男が取る必要ある？」

出所：厚生労働省「育児・介護休業法の改正のポイント」「育児・介護休業法の改正について〈2022年3月18日更新〉」などを参考に作成

男性の育児休業取得率は過去最高に

男性育児休業とは、原則1歳未満の子どもを養育するための休業で、育児・介護休業法という法律に定められている。

日本では長年にわたって男性の育児休業取得率が低いまま推移してきたが、夫婦が協力して育児に臨むよう働きかける企業の努力もあり、積極的に育児休業を取得する男性が増加。2024年の育児休業取得率は男性30.1%と過去最高となった。育児休業中の収入減を補う施策もあり、今後、取得率のさらなる上昇が期待される。

政府は男性の育児休業取得率について「25年度に50%、30年度に85%」の目標を掲げるも、育児休業中の代替要員の不足や、育児休業取得を阻害する嫌がらせ（パタハラ）の

関連キーワード　くるみんマーク：次世代育成支援対策推進法に基づいて、厚生労働省が仕事と家庭の両立に積極的な「子育て支援サポート企業」として認定した企業に交付しているマーク。さらに高い基準をクリアした企業は「プラチナくるみん」の認定を受ける。

働きながら子育てしやすい社会へ

■育児・介護休業法における、育児関連制度の例

制　度	概　要
育児休業制度	原則1歳未満の子どもがいる労働者が対象（実子だけでなく、養子も含まれる） 保育所に入れない場合、例外的に1歳6カ月まで延長できるが、それ以後も入れない場合は、再度申請すれば最長2歳まで取得可能
育児のための所定労働時間短縮処置（短時間勤務制度）	3歳に満たない子どもがいる労働者が希望すれば利用できる短時間勤務制度（1日6時間）
小学校就学の始期に達するまでの子を養育する労働者等に関する措置	小学校就学の始期に達するまでの子どものいる労働者に対しても、事業主は短時間勤務などの努力義務がある

■産後パパ育休、育休の分割取得のイメージ

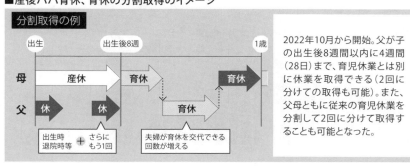

2022年10月から開始。父が子の出生後8週間以内に4週間（28日）まで、育児休業とは別に休業を取得できる（2回に分けての取得も可能）。また、父母ともに従来の育児休業を分割して2回に分けて取得することも可能となった。

出所：厚生労働省「育児・介護休業法の改正のポイント」「育児・介護休業法の改正について〈2022年3月18日更新〉」などを参考に作成

横行など、課題は残る。

▍ワークライフバランスは業績拡大に寄与

ワークライフバランス（Work Life Balance, WLB）とは、仕事と家庭の調和を図ること。1990年代に欧米で使われ始めた概念。わが国でも働きやすい環境づくりが進んでいる。例えば男性の育児休業取得を増やすことを目的に21年6月に育児・介護休業法が改正され、「産後パパ育休」が新設された。原則1回だった育児休業も、男女ともに2回まで分割して取得することも可能になった。

労働時間が短いほど労働生産性が高いという関係がみられるため、ワークライフバランスの充実を図る過程で労働時間の短縮を進めることは、企業の業績拡大などにつながると期待されている。

関連キーワード　**ビジネスケアラー**：仕事をしながら家族の介護にも従事する人のこと。ビジネスケアラーの増加ははく大な経済的損失をもたらすと考えられ、早急な支援が求められている。介護中の社員が働きがいを持ち続けられるよう、企業のサポートが重要になる。

人的資本経営

▶人材をコストではなく投資すべき資本ととらえる
▶経営戦略と人材戦略の連動で企業価値向上へ
▶情報開示の義務化後、実践性が問われる

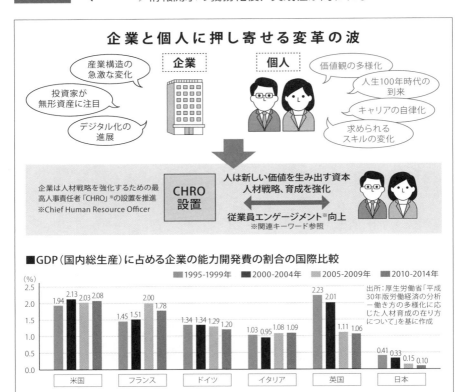

企業と個人に押し寄せる変革の波

産業構造の急激な変化

投資家が無形資産に注目

デジタル化の進展

企業

個人

価値観の多様化

人生100年時代の到来

キャリアの自律化

求められるスキルの変化

企業は人材戦略を強化するための最高人事責任者「CHRO」※の設置を推進
※Chief Human Resource Officer

CHRO 設置

人は新しい価値を生み出す資本
人材戦略、育成を強化

従業員エンゲージメント※向上
※関連キーワード参照

■GDP（国内総生産）に占める企業の能力開発費の割合の国際比較

凡例：■1995-1999年　■2000-2004年　■2005-2009年　■2010-2014年

出所：厚生労働省「平成30年版労働経済の分析ー働き方の多様化に応じた人材育成の在り方について」を基に作成

国	1995-1999年	2000-2004年	2005-2009年	2010-2014年
米国	1.94	2.13	2.03	2.08
フランス	1.45	1.51	2.00	1.78
ドイツ	1.34	1.34	1.29	1.20
イタリア	1.03	0.95	1.08	1.09
英国	2.23	2.01	1.11	1.06
日本	0.41	0.33	0.15	0.10

価値を生み出す人材に投資

人的資本経営とは、企業の「人材」を新しい価値を生み出す資本と考えて積極的に投資し、ROI（投資利益率）を高めていくこと。かつて人材はコストと見なされていたが、人的資本経営では投資の対象ととらえて、リターンを生み出していくことが求められる。企業や個人を取り巻く環境が大きく変化し、先行きが見通しにくい時代となった今こそ、新しい価値を生み出すために人材への投資が不可欠となった。

日本企業に人的資本経営の潮流が生まれたのは、経済産業省が2022年に発表した「人的資本経営の実現に向けた検討会報告書～人材版伊藤レポート」が契機。このレポートは、経営戦略と人材戦略の連動が重要だと指摘し、経営戦略に精通したCHRO（最高人事責任者）

関連キーワード　**ウェルビーイング**：1946年に世界保健機関（WHO）が設立される際に誕生した言葉で、人々が身体的、精神的、社会的に充足感に満たされた幸福度の高い状態を指す。近年は従業員の幸福感を重視する企業が増え、経営理念にウェルビーイングを取り入れるケースもある。

求められる人的資本経営の内容

■人的資本経営に向けた企業と個人の意識改革

人材マネジメントの目的	**人的資源** ・人材を管理 ・人材にかかる費用は「コスト」	**人材資本** ・人材による価値創造 ・人材にかかる費用は「投資」
アクション	**人事** ・人事制度の運用・改善	**人材戦略** ・企業価値の向上を目的として、人材を経営戦略に落とし込む
イニシアチブをとる組織	**人事部** ・人材に関わる業務は人事部が主導	**経営陣、取締役会** ・人材を経営戦略とひもづけ、経営陣が主導
個人と企業の関係	**相互依存** ・企業は人材を管理、個人も企業に依存	**個の自律** ・個人と企業が共に成長
雇用	**囲い込み型** ・終身雇用、年功序列などで囲い込む	**選び・選ばれる関係** ・オープンな雇用関係

■企業の「人的資本」について情報開示が望ましい項目（一部抜粋）

育成				流動性			ダイバーシティ		
研修時間	研修費用	研修と人材開発の効果	従業員エンゲージメント	離職率	定着率	新規雇用の総数と比率	属性別の従業員・経営層の比率	男女間の給与の差	育児休業等の後の復職率・定着率

健康・安全			コンプライアンス・労働慣行				
労働災害の発生件数・割合・死亡数等	ニアミス発生率	健康・安全関連取組等の説明	深刻な人権問題の件数	児童労働/強制労働に関する説明	業務停止件数	苦情の件数	差別的事例の件数・対応措置

出所：経済産業省「持続的な企業価値の向上と人的資本に関する研究会報告書」、内閣官房「人的資本可視化指針」を基に作成

の設置や全社的な課題の抽出が必要だとしている。

┃情報の開示から実践のフェーズへ

23年3月期の有価証券報告書から、人的資本に関する情報開示が義務付けられた。これによって投資家の投資判断には、ESG（環境・社会・ガバナンス）情報と同様、人的資本経営情報が組み込まれることになった。

「人的資本開示元年」と呼ばれる23年は、どのように開示するかという点が重要だった。今後はいかに人的資本経営を「実践」していくかが問われていく。既に従業員エンゲージメントを役員報酬に連動させる仕組みを導入した企業もある。人的資本経営の取り組みを企業価値の向上に結びつけていく試みは、より活発になるだろう。

関連キーワード

従業員エンゲージメント：従業員が所属する組織の理念やパーパス（存在意義）を理解・共感し、自発的に仕事を通して組織に貢献する状態。日本では仕事への熱意や職場への愛着を示す社員の割合はわずか6%と世界最低レベル。（米ギャラップ社調べ、2024年）

62 日本の賃金問題と賃上げ

★★★

ポイント
▶ 名目賃金は上昇傾向、実質賃金は6月から上昇へ
▶ 2024年の賃上げ率は高水準、大手と中小で差も
▶ 政府は「中小企業の継続的賃上げ」を促進

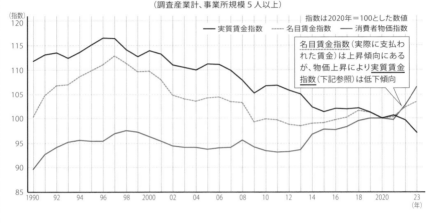

実質賃金と名目賃金

実質賃金指数、名目賃金指数（現金給与総額）と消費者物価指数の推移
（調査産業計、事業所規模5人以上）

（指数）　　　　　　　　　　　　　　　　　　　　指数は2020年＝100とした数値
— 実質賃金指数　　⋯⋯ 名目賃金指数　　— 消費者物価指数

名目賃金指数（実際に支払われた賃金）は上昇傾向にあるが、物価上昇により実質賃金指数（下記参照）は低下傾向

| 名目賃金 |
| 実際に支払われた賃金額 |

| 実質賃金 |
| 名目賃金÷消費者物価指数※ |

※ある時点を100としたときの物価を示す経済指標（テーマ92参照）

名目賃金10万円 → 名目賃金11万円

名目賃金10%アップ

食パンの価格は100%アップ

1斤200円食パン買えるのは500斤

1斤400円食パン買えるのは275斤

物価の上昇率が名目賃金の上昇率を上回れば購買力が低下

出所：(上図)厚生労働省「毎月勤労統計調査 令和4年分結果確報の解説」

実質賃金、2年3カ月ぶりにプラスへ

　名目賃金は上昇傾向にあるが、物価高により実質賃金は伸びていなかった。実質賃金とは、労働者が賃金として受け取る名目賃金から物価変動の影響を除いたもの。名目賃金を消費者物価指数で割って算出する。名目賃金の額が同じだとしても、物価が上がれば購入できるモノは減り、物価が下がれば購入できるモノが増える。実質賃金は労働者の購買力を示す重要な指標とされるが、24年6月の実質賃金は前年同月比で1.1%増えた。夏のボーナスが増え、2年3カ月ぶりに実質賃金の増減率がプラスに転じた。

中小企業の「賃上げ」を継続させる

　24年春闘の賃上げ率は5.17%となり、33年ぶりに5%超の高水準となった。しかし、

関連
キーワード

労働組合：労働者が団結し、労働条件の維持や改善などを目的に組織する団体。日本国憲法では、労働者が労働組合を結成する「団結権」、企業等と団体交渉する「団体交渉権」、要求実現のために団体で行動する「団体行動権」の労働三権が保障されている。

様々な賃金問題と政府の賃上げ策

2023年度平均 消費者物価指数		2024年 賃上げ率 春季労使交渉（春闘）	
前年度比平均 **2.7%上昇**	**VS**	全体	**5.17%上昇**
		中小企業（従業員300人未満）	**4.66%上昇**

※生鮮食品を除く　※定期昇給分を含む

33年ぶりの5%超え

物価　給料

■最低賃金（時給・全国平均）
［法的に保障された、働いて受け取る賃金の最低額］

22年	961円
23年	1004円 初の1000円超！
24年	**1054円**
政府目標	1500円

■男女の賃金格差（賃金／月）2023年

男性	女性
35万900円	**26万2600円**

男性を100とした場合75%

企業等に賃金の男女間格差の開示を義務付け（従業員301人以上）

「年収の壁」に波及

手取り減少分を政府が助成

一定の年収を超えると、手取り分が減る「年収の壁」。年収106万円を超えると企業の事業規模によっては社会保険料の負担が生じるが、時給が高くなることでその壁を超えてしまうケースや、労働時間を短縮して年収を抑えるケースが想定される。手取りや労働力の減少につながらないよう、政府は106万円を超えても手取りが減らないよう企業向け助成を検討。

政府による賃上げ策

三位一体の労働市場改革

構造的賃上げ

成長分野への労働移動の円滑化
成長分野に移り、自身の能力を生かす。

職務給の導入
職務ごとに必要なスキルを明確化、能力を適正に評価した職務給の導入。

リスキリング（学び直し）
学んで能力向上、賃金アップにつなげる。

出所：厚生労働省、首相官邸のウェブサイトを参考に作成

従業員数300人未満の中小企業に絞ると、賃上げ率は4.66%と5%に届かない。

生鮮食品を除いた消費者物価指数（CPI）は7月に前年同月比で2.7%上昇。電気・ガス代等が、政府の補助金が終了したことにより上昇した。政府は8月から10月まで補助金を復活させ、CPIの押し下げを図っている。物価の上昇が続く中、賃上げの効果は見えにく

い。政府は24年6月に発表した「骨太の方針2024」で、中小企業の賃上げの継続を挙げた。

24年度の最低賃金は1054円、前年から50円上がった。一方で、最低賃金の上昇が「年収の壁」に影響し課題となっている。賃金の男女格差の問題もあり、企業にその格差の公表を義務付けることなどで改善を図っている。

関連キーワード

春季労使交渉（春闘）：労働組合が、新年度の4月に向けて、賃金の引き上げなど労働条件についての要求を企業等に提出し、団体交渉を行うこと。一般的に「春闘」と呼ばれる。全国中央組織の労働団体や、産業別組織の指導・調整も入る。

63 雇用契約

★★

ポイント
- ▶ 契約期間の定めのある雇用契約は有期雇用になる
- ▶ 非正規雇用者の多さが若年層貧困化の原因か
- ▶ 非正規雇用者の待遇改善はまだ不十分

雇用形態の特徴

雇用形態	雇用期間	労働時間	雇用契約	指揮命令
正社員	無期	法定労働時間	雇用主(会社)	雇用されている職場
パートタイム	有期(1年など)	短時間	雇用主(会社)	雇用されている職場
契約社員	有期(1年など)	正社員と同じが多い	雇用主(会社)	雇用されている職場
派遣社員	有期(1年など)	正社員と同じが多い	派遣会社	派遣先の職場
請負	(期日はあり)	―	(業務請負契約)	―

■正規雇用者と非正規雇用者の数

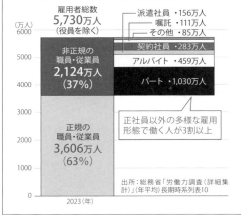

雇用者総数
5,730万人
(役員を除く)

派遣社員・156万人
嘱託・111万人
その他・85万人

契約社員・283万人
アルバイト・459万人
パート・1,030万人

非正規の
職員・従業員
2,124万人
(37%)

正規の
職員・従業員
3,606万人
(63%)

正社員以外の多様な雇用形態で働く人が3割以上

出所:総務省「労働力調査（詳細集計）」(年平均)長期時系列表10

■2024年施行の労働基準法の改正
（おもなもの）

▼ 労働条件明示のルール変更

・「就業場所と業務の変更の範囲」が明示事項に追加された

関連して・・・
厚生年金保険法の改正

▼ パート・アルバイトの社会保険の加入対象の拡大

・従業員51人以上の事業所も対象に

出所:厚生労働省ウェブサイトを参考に作成

有期雇用は不安定な働き方

雇用契約とは、労働者が雇用主のもとで労働に従事し、雇用主がその対価として賃金を労働者側に支払う約束をする契約のこと。正社員や正職員といわれる労働者は期間の定めのない無期雇用であるのに対し、契約社員、アルバイト、派遣社員、嘱託などは有期雇用となる。有期雇用は雇用期間終了後、契約が更新されない限り雇用は終了するため、労働者にとっては不安定な働き方といえる。

日本では有期雇用の非正規雇用者は約4割で、賃金の低さ、雇用の不安定などが、若い世代の貧困化を招いているという指摘がある。労働者が計画的な教育訓練を受ける機会が少ないこと、計画的なキャリアアップがしにくいことなども問題である。

2024年の労働基準法改正では、就業場所・業務の変更の範囲を明示するなど、労働条件明示の項目が増えた。また、24年10月からは従業員数51人以上の企業で働くパート・アルバイトも社会保険の加入対象となった。このように非正規労働者の不合理な待遇の改善を目指して着実に手は打たれているものの、まだ十分とはいえない。

64 デジタル人材育成

★★

- ▶日本のデジタル競争力は世界に後れをとっている
- ▶2026年には日本に330万人のデジタル人材を

デジタル推進人材の育成目標

スイスの経営大学院IMDによる
「世界デジタル競争力ランキング」
（2023年）

日本は
64カ国・地域中 **32**位

**2022年度〜26年度で
230万人育成！**

■デジタル推進人材

| ビジネス
アーキテクト | データ
サイエンティスト | エンジニア・
オペレーター | サイバー
セキュリティ
スペシャリスト | UI/UX
デザイナー |

出所：内閣官房「デジタル人材の育成・確保に向けて」「新しい資本主義のグランドデザイン及び実行計画2023改訂版」を基に作成

教育機関、企業も育成に取り組む

社会の急速なデジタル化に伴い、デジタル人材不足は深刻化している。政府は2026年度までに230万人のデジタル人材を育成し、現在の100万人と合わせて330万人とする計画だ。大学・高等専門学校でのデジタル教育や社会人向け教育の支援にも力を入れる。リスキリングに取り組む企業に対しては「デジタルスキル標準」を制定。DXを推進する人材の能力やスキルなどを定めている。

65 大卒の求人倍率

★

- ▶大卒者の求人倍率は上昇傾向
- ▶建設業、流通業の2025年卒に対しての求人倍率は9倍超え

企業の採用意欲は回復

大卒の民間企業就職希望者数・求人倍率の推移（各年の3月卒業者）

2025年大卒
**特に求人倍率が
高い業種**

建設業
9.35倍

流通業
16.21倍

出所：リクルートワークス研究所「第41回ワークス大卒求人倍率調査」（2025卒）より作成

コロナ禍前の水準に回復

リクルートワークス研究所が2024年4月に発表した、25年大卒予定者の求人倍率は1.75倍で、24年卒よりも0.04ポイント上昇。新型コロナウイルス禍の経済の落ち込みから21、22年卒はポイントを下げたが1.5倍台を堅持、24年卒以降はコロナ禍前の水準まで回復した。特に大幅上昇した流通業は16.21倍、一方、4.39ポイント低下した建設業は9.35倍となった。金融業は0.02ポイント上昇した。

カッコ内に入る言葉を答えよ。

1 2024 年 4 月から「時間外労働の上限規制」が始まったことによって特に人手不足が懸念される業種は建設業と（　　　）である。

2 団塊の世代がすべて 75 歳以上となり、日本が超高齢化社会を迎えることで、雇用などの様々な分野に影響が生じる問題を（　　　）問題という。

3 企業や店舗などで短期間かつ単発で請け負う仕事のことを、「すきまバイト」や「（　　　）ワーク」という。

4 日本では、全雇用者のうち非正規雇用の人が（　　　）割近くを占めている（2023 年）。

5 2022 年 10 月から導入された、父が子の出生後 8 週間以内に 4 週間まで育児休業が取得できる制度を（　　　）育休という。

6 厚生労働省により、子育て支援など一定の基準を満たしたと認定された企業は、「（　　　）マーク」を取得できる。

7 女性の育児休業取得率は 8 割を超えているのに対し、男性は約（　　　）％である（2023 年度）。

8 新しい価値を生み出す人材を資本と考えて積極的に投資し、ROI（投資利益率）を高める経営を（　　　）という。

9 従業員が所属する組織の理念やパーパス（存在意義）を理解・共感し、自発的に仕事を通して組織に貢献する状態を（　　　）という。

10 日本の最低賃金（時給・全国平均）は、2023 年に初めて 1000 円を超え、24 年には（　　　）円になった。

【解答】 1. 運輸業　2. 2025 年　3. スポット　4. 4　5. 産後パパ　6. くるみん　7. 30
8. 人的資本経営　9. 従業員エンゲージメント　10. 1054

第 7 章

テクノロジー

「日本の宇宙開発」「IOWN（アイオン）」
「バイオものづくり」など、
注目を集めている技術を紹介。
基本的な仕組みはぜひ知っておこう。

66 日本の宇宙開発

★★

▶月探査機 SLIM がピンポイント着陸に成功
▶国内では宇宙港の構想が進む
▶政府は宇宙事業に今後 10 年で 1 兆円規模の支援

月探査で大きな一歩

2024年1月

- 日本の無人月探査機「SLIM」が月着陸に成功
- 世界で5番目！
- 目標半径100メートル以内へのピンポイント着陸の成功は世界初！

目標地点に正確に降りる技術は今後の月開発に欠かせない。

S帯アンテナ
太陽電池パネル
小型月着陸実証機「SLIM（スリム）」
小型プローブ（探査車）
航法カメラ（2カ所）
着陸レーダーアンテナ
航法カメラ（2カ所）
メインエンジン（2本）

■宇宙開発ビジネスの主な領域

月着陸船	小型衛星コンステレーション	宇宙ごみ（スペース デブリ）除去	宇宙輸送
・iSPACE（アイスペース）	・QPS研究所	・アストロスケールホールディングス	・インターステラテクノロジス ・スペースワン

出所：宇宙航空研究開発機構（JAXA）

月探査機 SLIM が着陸成功

日本の宇宙開発は宇宙航空研究開発機構（JAXA）を中心に進んでいる。国際宇宙ステーション（ISS）での様々な実験や、気象用衛星、弾道ミサイル発射探知など軍事に利用する衛星の打ち上げ、惑星探査もある。

2024 年 1 月に月探査機「SLIM（スリム）」が世界で 5 番目となる月着陸に成功した。目標との誤差 100 メートル以内のピンポイント着陸は世界初となる。7 月には大型基幹ロケット「H3」3 号機の打ち上げに成功。25 ～ 26 年度は新型無人補給船「HTV-X」やインドと共同で月を探査する「LUPEX（ルペックス）」の打ち上げが予定されている。H3 は打ち上げの低コスト化を進め、通信用などの商業衛星の打ち上げ需要も取り込んでいく。

関連キーワード

はやぶさ2：JAXA の小惑星探査機。2020 年に小惑星「りゅうぐう」の石や砂が入ったカプセルを地球に届けた。分析の結果、有機物や水が含まれていたことが判明し、りゅうぐうがかつて水の惑星だった可能性を示した。

日本の強みを生かした宇宙開発

■日本の宇宙港整備構想

選定の条件
◎東方向と南北いずれかが開けている
（ロケットの打ち上げに地球の自転を利用でき、エネルギーの節約になる）
◎打ち上げる方向に人家がない

海に囲まれた日本は好条件！
→ アジアの宇宙ハブを目指す

北海道スペースポート（HOSPO）
（北海道・大樹町）晴天率が高い

大分空港〈準備中〉
（大分県・国東市）3000m級の滑走路を活用

スペースポート紀伊
（和歌山県・串本町）本州最南端

JAXAのロケット射場
・内之浦宇宙空間観測所
・種子島宇宙センター（鹿児島県）

下地島空港〈準備中〉
（沖縄県・宮古島市）赤道に近い

■宇宙戦略基金

宇宙戦略基金 →今後10年で1兆円規模→ 日本の宇宙産業の競争力アップを期待できる分野に支援していく

分野	対象
●人工衛星	●スタートアップ
●宇宙科学・探査	●大学
●宇宙輸送	●研究機関　など

│日本の宇宙スタートアップも台頭

　従来は国単位で進められてきた宇宙開発だが、今は民間企業の参入が目立つ。特にニュースペースと呼ばれる宇宙スタートアップが日本でも増えており、月着陸船、小型衛星コンステレーション、宇宙ごみ（スペースデブリ）除去などの分野で頭角を現している。

　国内各地では、ロケットや人工衛星の発射拠点となる宇宙港の構想が進む。日本は周囲を海に囲まれているため宇宙港を整備しやすい。北海道・大樹町、和歌山県・串本町、大分空港、沖縄県・下地島空港で先行している。

　政府は24年、スタートアップや大学などの宇宙事業への新規参入を促す「宇宙戦略基金」を立ち上げた。日本の宇宙産業の強化を狙い、今後10年で1兆円規模の支援を行う。

 関連キーワード
宇宙港：スペースポートとも呼ばれる。「垂直型」と「水平型」の2種類があり、ロケットのように機体が垂直に発射される垂直型、飛行機のように滑走路から水平に機体が離陸する水平型がある。水平型は空港などの滑走路を利用できるため、省資源といわれている。

67 6G

★★

ポイント
▶2030年代の実用化を目指し6Gの開発が進む
▶超高速・大容量、超多数同時接続などが可能に
▶様々な分野で使われるAIを6Gでつなぐ構想も

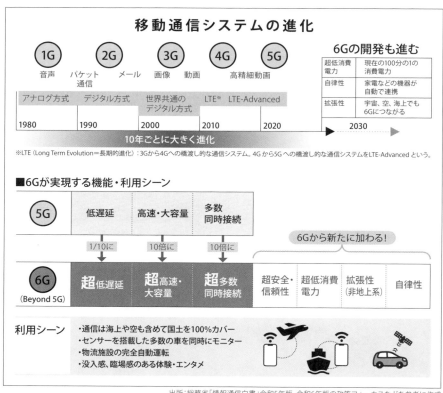

移動通信システムの進化

1G	2G	3G	4G	5G
音声	パケット通信	メール	画像	動画	高精細動画

アナログ方式	デジタル方式	世界共通のデジタル方式	LTE※	LTE-Advanced
1980	1990	2000	2010	2020		2030

10年ごとに大きく進化

6Gの開発も進む

超低消費電力	現在の100分の1の消費電力
自律性	家電などの機器が自動で連携
拡張性	宇宙、空、海上でも6Gにつながる

※LTE（Long Term Evolution＝長期的進化）：3Gから4Gへの橋渡し的な通信システム。4Gから5Gへの橋渡し的な通信システムをLTE-Advancedという。

■6Gが実現する機能・利用シーン

5G	低遅延	高速・大容量	多数同時接続

| | 1/10に | 10倍に | 10倍に |

6Gから新たに加わる！

6G (Beyond 5G)	**超**低遅延	**超**高速・大容量	**超**多数同時接続	超安全・信頼性	超低消費電力	拡張性（非地上系）	自律性

利用シーン
- 通信は海上や空も含めて国土を100％カバー
- センサーを搭載した多数の車を同時にモニター
- 物流施設の完全自動運転
- 没入感、臨場感のある体験・エンタメ

出所：総務省「情報通信白書」令和5年版、令和6年版の政策フォーカスなどを参考に作成

速度・容量は5Gの10倍

　6G（6th Generation）とは、第6世代移動通信システムのことで、第5世代（5G）移動通信システムの後継仕様にあたる。移動体通信規格は約10年ごとに進化する。5Gは日本では2020年3月に商用サービスが開始された。6Gはその10年後にあたる30年代の実用化を目指す。

　20年の4Gから5Gへの移行では、100倍の超高速、1000倍の大容量化、低遅延が実現した。6Gではさらに機能が拡大し、速度・容量や同時接続の数は10倍に増え、遅延は10分の1に縮小する。センサーを搭載した多数の車を同時に監視することが可能になり、様々な業界で活用が見込まれる。通信エリアも広がり、陸は100％、海上は200カイリ、空は高度1万メートルで6Gにつながる。災害などの非常時に使える通信インフラとなる。

　様々な分野でAIの活用が進む中、AI同士を6Gでつなぎ連携させ、課題解決に役立てるという構想もある。AI活用推進のためにも、6Gの研究開発が急がれる。

68 IOWN（アイオン）

★★

▶ NTT が研究・開発を進める次世代通信基盤構想
▶ 従来の電気信号の代わりに光の技術を活用する
▶ 6G 時代に世界的な主導権を握ることを目指す

次世代の革新的技術

■ IOWNのイメージ

コグニティブ・ファウンデーション
▼
大量のデータから必要な情報のみを取り出す

デジタル・ツイン・コンピューティング ▶ 現実世界を双子のように仮想空間に構築

IOWNの3つの主要テクノロジー

オールフォトニクス・ネットワーク ▶ 基地局から家庭まですべて光の技術で完結

・通信速度 劇的にアップ！ UP↑

・消費電力 劇的にダウン！ DOWN↓

| スマートな社会の実現を目指す | 都市 デジタル技術で管理されたスマートシティ | 医療 遠隔手術やオンライン診療が可能なスマート医療 | 移動 自動運転技術によるスマートモビリティ | 農業 ロボットを活用したスマート農業 |

■約13年間でモバイルの通信量は98倍近くに！

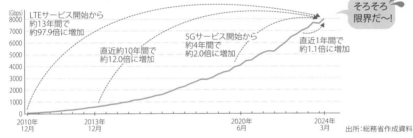

LTEサービス開始から約13年間で約97.9倍に増加

直近約10年間で約12.0倍に増加

5Gサービス開始から約4年間で約2.0倍に増加

直近1年間で約1.1倍に増加

そろそろ限界だ〜！

出所：総務省作成資料

┃トラフィック急増対策の切り札

IOWN（アイオン）とは、NTT が開発・研究を進めている次世代の通信基盤構想のこと。光を応用した革新的な技術により、低遅延・低消費電力・大容量・高品質のネットワークを実現しようとするものである。

あらゆる機器がインターネットに接続する時代となったことに加え、生成 AI の普及でデータ通信量は急増。消費電力も膨大になると懸念されている。こうした問題を解決するために NTT では、電気信号に代わって光電融合技術を活用する IOWN を構想。通信の遅延時間を従来の 200 分の 1 に短縮するほか、将来的には消費電力も 100 分の 1 に減らせる見通しだ。

2030 年代には自動車に搭載したカメラの映像をクラウドの人工知能（AI）が読み取って必要な情報を車両に送ったり、医師が映像を見ながら遠隔で手術をしたりといったことも可能になるといわれている。NTT では様々な業界の企業と協力して IOWN 構想の実現・普及を目指す。日本が 6G 時代に世界的な主導権を握ることが期待されている。

69 サイバー攻撃

★★★

▶サイバー攻撃が国家安全保障を脅かす非軍事的手段に
▶防衛省に「サイバー防衛隊」、
　警察庁に「サイバー警察局」を組織

サイバー攻撃の用語解説

標的型攻撃	特定の組織を標的としておこなわれるサイバー攻撃。重要な情報を入手することを目的とする。顧客や取引先を装い、メールを送信するなどして侵入し、遠隔操作により金銭や知的財産などに関する情報などを盗み取る。
マルウエア	悪意を持って開発されたり、利用されるソフトウエアのこと。 ・ウイルス コンピュータープログラムの一部を書き換えることで感染させる。感染したプログラムが実行されると、データの破壊や情報の搾取、さらなる感染も招く。 ・ランサムウエア 勝手にPCをロックしたり、ファイルを暗号化して使用不能にし、「身代金」を要求する不正プログラム。 ・ワーム 宿主となるプログラムが不要なマルウエアのこと。ネットワーク経由でほかのコンピューターに侵入して自らを伝染させ、自動的に自己増殖をする。最近ではUSBメモリーやメモリーカードなどのUSB接続のメディアを介して、増殖と拡大を繰り返す「USBワーム」による被害も多い。 ・バックドア ユーザーに気づかれずコンピューターへアクセスできるようにするプログラム。不正侵入に成功したときに仕掛けられる場合が多い。
DoS 攻撃／ DDoS 攻撃	DoS攻撃はネットワークを利用してPCなどにおこなわれる攻撃。単一のマシンから大量のデータや不正なデータを標的に送りつけて、相手方のシステムをダウンさせ、システムを正常に動作させなくしてしまう。企業はサービスの停止などで機能停止に追い込まれる。 DDoS攻撃は複数のマシンから一斉に標的への攻撃がなされる。
Web サイトへの 不正アクセス	外部からサーバーに侵入し、不正にサーバーを乗っ取って操作し、企業がかかえる顧客などの重要情報を盗む。膨大な量の個人情報データが流出してしまう事件が多発している。

サイバー空間は第 5 の戦場とも

サイバー攻撃とは、インターネットでパソコンやネットワークに不正に侵入し、データを破壊・改ざんしたり盗んだりする行為。政治的な意思などから、社会の混乱や国家の安全保障を脅かすことを目的とするサイバー攻撃を特にサイバーテロという。年々その脅威は増しており、サイバー空間は、陸、海、空、宇宙に次ぐ「第

5 の戦場」ともいわれている。

ロシアはウクライナに対し、送電網などの重要インフラを狙ったサイバー攻撃を行うなど非軍事的な手段も用いたハイブリッド戦を展開。ウクライナ側も「IT(情報技術) 軍」を組織、サイバー防衛を強化している。

2022 年 9 月には、日本政府のポータルサイトなどが DDoS と見られる攻撃を受けて閲覧

ホワイトハッカー：コンピューターやネットワークに関する高度な知識や技術を持つ者が「ハッカー」。悪意を持った不正侵入者を、一般的にハッカーと呼ぶ。それに対して善意を持ってサイバー攻撃に対処するため、知識や技術を使う技術者をホワイトハッカーと呼ぶ。

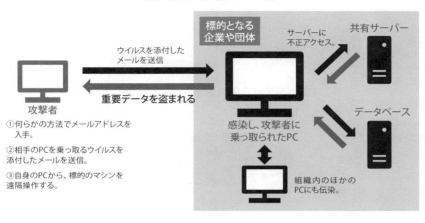

標的型攻撃の一例

標的となる企業や団体

攻撃者

①何らかの方法でメールアドレスを入手。

②相手のPCを乗っ取るウイルスを添付したメールを送信。

③自身のPCから、標的のマシンを遠隔操作する。

ウイルスを添付したメールを送信

重要データを盗まれる

サーバーに不正アクセス。

共有サーバー

データベース

感染し、攻撃者に乗っ取られたPC

組織内のほかのPCにも伝染。

ランサムウエアのしくみ

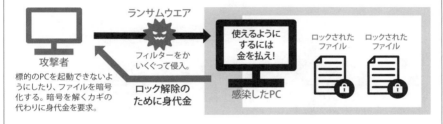

攻撃者

標的のPCを起動できないようにしたり、ファイルを暗号化する。暗号を解くカギの代わりに身代金を要求。

ランサムウエア

フィルターをかいくぐって侵入。

ロック解除のために身代金

使えるようにするには金を払え！

感染したPC

ロックされたファイル

ロックされたファイル

犯罪のビジネス化

アンダーグラウンド市場で、盗んだ情報やサイバー攻撃ができるツール、サービスを売買。

SALE 犯罪用ツール

【例】
・DDoS攻撃代行サービス
・銀行詐欺ツール
・マルウエア売買

出所：「犯罪のビジネス化」は情報処理推進機構「情報セキュリティ10大脅威2023」

しづらい状態となった。親ロシア派のハクティビスト（ハッカーとアクティビスト〈活動家〉を掛け合わせた造語）「キルネット」が、SNS（交流サイト）に犯行声明を出した。

政府もサイバーセキュリティーをさらに強化

サイバー攻撃には様々なタイプがあり、高度で専門的な知識がないと完全な対処はできない。22年3月には防衛省に「自衛隊サイバー防衛隊」が発足。同年4月には警察庁に「サイバー警察局」を新設、関東管区警察局にも「サイバー特別捜査隊」が発足した。一方、情報処理推進機構の資料によると、アンダーグラウンド市場において、盗んだIDやサイバー攻撃用のツールの売買が活発化。サイバー攻撃が容易に行えるようになり、その脅威が高まったとしている。

関連キーワード　**アノニマス**：サイバー攻撃により政府や企業に抗議を行うハクティビスト。これまで、クーデターを起こしたミャンマー国軍のサイトやウクライナに侵攻したロシア政府のサイトを攻撃。日本も、難民政策への抗議などで政府サイトに攻撃を受けている。

70 DX（デジタルトランスフォーメーション）

ポイント
- ▶ デジタル技術でビジネスモデルや働き方を変えること
- ▶ 単なる業務のIT化・効率化ではなく新しい価値創造
- ▶ 小売店のネットシフトや製造業のサービス化などが典型

デジタル技術でビジネスモデルや働き方を変える

DXの要件

データとデジタル技術で
業務の仕組みや
サービスを変えて
ユーザーの不満や課題を解決

DX
デジタルトランス
フォーメーション

ユーザーに新たな
利便性・価値を提供

コロナ禍で加速した業務のIT化

テレワーク

会議・イベントの
オンライン化

書類（事務処理）の
電子化

➡

単なる業務効率化に
とどまらずに、
新たな価値創造につなげる
ことが重要

ビジネスモデルを変革するＤＸの代表例

**実店舗中心の小売業が
インターネットに販路を拡大**

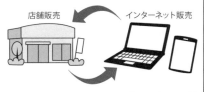
店舗販売　　　インターネット販売

自動車メーカーが「CASE（ケース）」にシフト

※CASE＝Connected（接続性）Autonomous/Automated（自動運転）、Shared & Service（シェアとサービス）、Electric（電動化）の略

カーシェアや
ライドシェア事業の展開

CO_2を排出しない
自動車の開発

出所：独立行政法人情報処理推進機構の資料を参考に作成

新たな価値や利便性を生む

DXとはデジタルトランスフォーメーション（Digital Transformation）の略で、IT技術の活用・デジタル化による変革を指す。単にIT技術を取り入れるというだけでなく、ビジネスモデルや業務の仕組み、サービス（商品）のあり方を根本的に変革し、新たな価値の創造や利便性を実現できているかがDXか否かを判断するポイントになる。

DXをビジネスや業務に導入するのは民間企業が先導している。特に創薬分野では、人工知能（AI）を使ったDXがこれまでの仕事を一変させている。従来、新薬の成功確率は3万分の1ともいわれ、開発期間も10年以上かかることが当たり前だった。米国のAI創薬スタートアップが、他社が8年かけて作り上げた化合物のデザインを50日で実現したという例まで出てきている。

一方で、DXを推進する専門人材の不足が深刻だ。現在、デジタル人材は国内に100万人程度で、政府は26年度までに230万人の育成を目指す。

71 メタバース

★★★

▶インターネット上に構築された仮想の三次元空間
▶アバターを操作するオンラインゲームが代表的
▶コミュニケーションやビジネスの場として利用

インターネット上の仮想空間

超越（meta） + 宇宙（universe）

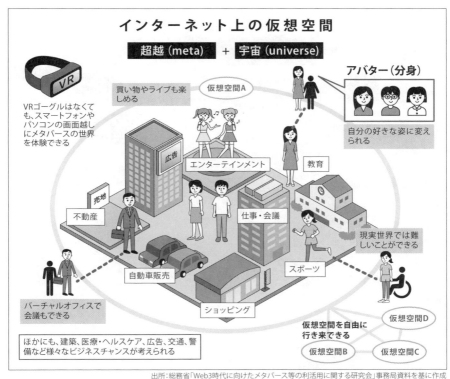

出所：総務省「Web3時代に向けたメタバース等の利活用に関する研究会」事務局資料を基に作成

ビジネス、教育でも活用

インターネット上に構築された仮想の三次元空間をメタバースと呼ぶ。利用者はアバター（分身）となってメタバースに没入するがVRゴーグルは必須ではなく、スマートフォンの画面越しでも体験できる。各メタバースはプラットフォーマー（運営事業者）によって設置され、現状ではオンラインゲームで普及している。

アバターでなりたい姿に変身し、現実世界では不可能な経験ができる特徴を生かした利用や、対面でのコミュニケーションが難しいときの利用など、リアルとバーチャルの使い分けが増えると見られる。

ビジネスや教育などで、メタバースの活用範囲は拡大。東京大学は22年9月に、デジタル技術などを誰でも学べるプラットフォーム「メタバース工学部」を設立。仮想空間「メタバース」を活用したプログラムを提供し、ソニーグループや三菱電機などの協力のもと、産学連携で活動を進めている。

Web3といわれるブロックチェーン（分散型台帳）技術の発展で、メタバース上で暗号資産（仮想通貨）を使って商品を購入できるようにする取り組みも進む。

72 ヘルステック、レカネマブ（認知症薬）

★★★

ポイント
▶新薬の開発に人工知能（AI）の活用が期待される
▶医療・健康とデジタル技術の融合による価値創造
▶電子カルテなど、既に身近なサービスとして浸透

新たな認知症治療薬

■レカネマブが作用する仕組み

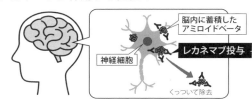
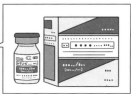

脳内に蓄積したアミロイドベータ
神経細胞
レカネマブ投与
くっついて除去

■連合学習の仕組み

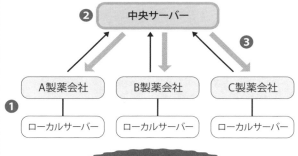

❷ 中央サーバー

❶ A製薬会社 ／ B製薬会社 ／ C製薬会社
ローカルサーバー ／ ローカルサーバー ／ ローカルサーバー

❶各社がAIモデルの学習を実施
❷中央サーバーでAIモデルの更新
❸更新されたAIモデルの配布
❹上記を繰り返して精度の高いAIへ

創薬への応用を進める！

AIによる新薬開発の変革に期待

　ヘルステックとは、医療や健康の分野とデジタル技術を融合して新たな価値を創造する取り組みのこと。Health（健康）+Technology（技術）の造語である。

　近年話題となった新薬が、エーザイが米製薬会社と共同開発した認知症治療薬レカネマブである。認知症の原因となる脳内に貯まっ

たたんぱく質を除去することで、症状の進行を直接抑制する効果が期待できる。画期的な薬だが開発に20年近くを要した。

　こうした新薬開発のスピードを速め、成功率を飛躍的に高める上で期待されているのが、大量のデータを高速かつ正確に処理する能力のあるAIの活用である。国内では競合企業でAIを共同開発する「連合学習」が進む。

 関連キーワード

肥満症治療薬：2021年にデンマーク製薬大手ノボノルディスクが「ウゴービ」を米国で実用化し、23年に米イーライ・リリーの「ゼプバウンド」が米国で承認された。どちらも皮下注射薬で食欲を抑える。従来品より副作用が少ないため、需要が拡大している。

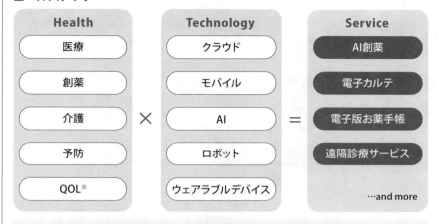

幅広い応用が期待される

■ヘルステック

Health		Technology		Service
医療		クラウド		AI創薬
創薬		モバイル		電子カルテ
介護	×	AI	=	電子版お薬手帳
予防		ロボット		遠隔診療サービス
QOL※		ウェアラブルデバイス		…and more

先進技術を活用することで医療・健康の新たなサービスの創造へ

※QOL（Quality of life）＝病気や加齢によりそれまで通りの生活ができなくなった人が、これでいいと思える生活の状態のこと

■医療情報のデジタル化

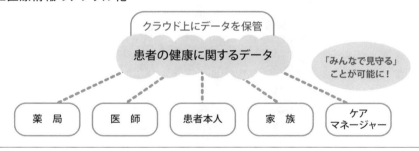

クラウド上にデータを保管

患者の健康に関するデータ

「みんなで見守る」ことが可能に！

薬局／医師／患者本人／家族／ケアマネージャー

先進技術を医療・健康に活用

実はヘルステックは創薬といった専門的な領域に限ったことではない。身近なヘルステックとして、電子カルテや電子版お薬手帳がある。患者の医療・健康に関するデータをデジタル化することで共有や保管、持ち歩きを容易にした。災害時にもクラウド上のデータをダウンロードすれば、病歴や服薬情報などをすぐに確認できる。

遠隔診療サービスもヘルステックの一例。在宅患者がスマートフォンなどを通じて遠隔地の医師の診察を受けられる。高速通信網、高性能デバイスなどがサービスを支える。

医療従事者不足等の課題を解決しつつ医療の質を高める上でも、ヘルステックには大きな期待が寄せられている。

関連キーワード　**ウェアラブルデバイス**：腕時計型など、身に着けられるコンピューター。体温や心拍数、消費カロリーなどを計測し、データをクラウド上に記録する。患者の健康状態を医師などがリアルタイムで把握できるため、より的確な医療サービスが可能になる。

73 エコカー

★★

- ▶世界でガソリン車から電気自動車（EV）などのエコカーへの移行が進む。普及に向けた技術開発にも注目
- ▶日本は2035年までにエコカー普及率100%を目指す

自家用乗用車の二酸化炭素（CO₂）排出量とエコカーの種類

■運輸部門におけるCO₂排出量（2022年度）

運輸部門のCO₂排出量は1億9180万トンで排出量全体の18.5%を占める

バス、タクシー、二輪車 551万トン／2.8%

| 自家用乗用車 8609万トン／44.9% | 営業用貨物車 4142万トン／21.6% | 自家用貨物車 3150万トン／16.4% |

0　　　20　　　40　　　60　　　80　　　100 (%)

航空 970万トン 5.1%
内航海運 1021万トン 5.3%
鉄道 738万トン 3.8%

■エコカーの種類 ※ENG:エンジン／BAT:バッテリー／MOT:モーター／FC:フューエルセル

電気自動車（EV）
BAT MOT
バッテリー（蓄電池）に蓄えた電気でモーターを回転させて走る自動車

プラグインハイブリッド自動車（PHEV）
ENG ガソリン BAT MOT
ハイブリッド自動車の中で家庭用電源などで車両側のバッテリーに充電することができるもの。発電と充電の両方ができる

天然ガス自動車
ENG メタン
天然ガスを燃料として走る自動車

燃料電池自動車（FCV）
水素と酸素を反応させて燃料電池で発電し、その電気でモーターを回転させて走る自動車。水素で発電する電気自動車
FC 水素 BAT MOT

水素自動車
水素を燃料としてエンジンを回して走行する水素自動車もある
ENG 水素

クリーンディーゼル自動車
2009年10月に導入された「ポスト新長期規制」と呼ばれる排出ガス基準に対応したディーゼル自動車

ハイブリッド自動車（HV）
ガソリンと電気など複数の動力源を組み合わせることで、低燃費と低排出を実現する自動車

出所：(上図)資源エネルギー庁ウェブサイト、環境省「次世代モビリティガイドブック」を基に作成

世界で進むEVの普及

エコカーは「エコロジー（自然環境保全）カー（車）」の略で、その名の通り環境に配慮した車のこと。ガソリン車やディーゼル車はガソリンや軽油を燃焼させて二酸化炭素を排出し、温暖化を進める要因の1つになっている。そのため脱炭素社会を目指す全世界で、電気を燃料とする電気自動車（EV）を中心とするエ

コカーの普及が進んでいる。

ガソリン車からEVに移行するEVシフトは、特にヨーロッパ諸国や中国で積極的に推し進められている。国際エネルギー機関（IEA）の「世界EV見通し2024」によると、23年のEVとプラグインハイブリッド車（PHEV）の世界販売台数は前年比35%増の1380万台となり、地域別では、中国が前年比37%増の810万台で、

関連キーワード

ディーゼル車：ディーゼルエンジンを搭載した車。燃料に、ガソリンではなく軽油を使用する。ディーゼル車から排出される大気汚染物質と健康被害の関係性が判明。東京都では条例で定める粒子状物質排出基準を満たさない場合、都内の走行が禁止されている。

エコカーの普及状況と目標、普及に向けた技術開発

■世界のEV、PHEV普及数

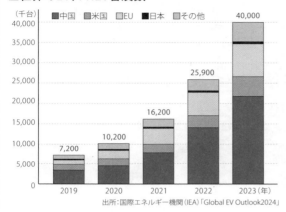

出所：国際エネルギー機関(IEA)「Global EV Outlook2024」

自動車の変革期を示すキーワードとして注目を集めているのが **CASE**（ケース）。Connected（接続性）は高精度な電子制御が可能な電気自動車（EV）との相性がよく、自動運転の進展にも欠かせない要素。

Connected
接続性、IoT社会との連携進化。

Autonomous
自動運転社会の到来。

Shared & Service
車の所有から共有へシフト、サービスとしての車。

Electric
車の動力源の電動化。

■各国のエコカー普及目標

 新車販売において2035年までに電動車（FCV、EV、PHEV、HV）100%

 2030年までにEV、PHEV、FCVで50%

 2035年以降の新車販売は原則ゼロエミッション車
内燃機関車でも、温室効果ガス排出をゼロとみなす合成燃料を使用するものは販売が認められる。

 2035年までにHV50%、EV、PHEV、FCVで50%
※自動車エンジニア学会発表

■EV普及に向けた技術開発

▶全固体電池
電解質部分が固体で、現在使用されている液体電池よりも安全で大容量、EVの航続距離を伸ばせるなどのメリットがあり研究が進む。トヨタ自動車が2027年の実用化を発表。

▶無線（ワイヤレス）給電
走行中の給電が可能で、充電ステーションでの給電が不要に。実用化に向けて実証実験が進む。

出所：「各国のエコカー普及目標」資源エネルギー庁ウェブサイト、国土交通省ウェブサイトを参考に作成

EV販売台数全体の約60%を占める。欧州が22%増の330万台、米国が40%増の139万台。インドなどの新興国もEV市場は拡大している。日本の23年EV販売台数は、日本自動車販売協会連合会によると、約9万6000台と、米欧中に後れを取っている。

┃日本は35年までに100%電動化

脱炭素社会の実現に向け、各国が目標を設定しエコカーの普及を目指す。日本は菅義偉元首相が21年に「2035年までに新車販売をすべて電動車にする」と宣言。エコカー減税など優遇策で普及を後押しする。中国も35年までに電動化、米国は30年までに50%電動化といった目標を掲げる。

EV普及の促進に向け、全固体電池や無線給電などの技術開発も進んでいる。

 関連キーワード

エコカーの「移動式電源」活用：電気自動車（EV）や燃料電池自動車などは、外部への電力供給が可能なため、災害時の移動式電源として活用が可能。自治体と自動車メーカー等が、災害時の電力確保に関して協定を締結する動きも広がっている。

74 再生可能エネルギー、次世代エネルギー

★★★

▶ 再生可能エネルギーは自然の力を利用して発電、永続的に繰り返し利用が可能
▶ 脱炭素、地政学リスク、災害リスク回避に備えて普及を拡大

電源構成の目標と再生可能エネルギーの種類

■2030年度の電源構成の目標

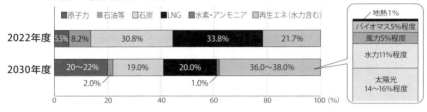

凡例：原子力　石油等　石炭　LNG　水素・アンモニア　再生エネ（水力含む）

2022年度	5.5% 8.2% 30.8% 33.8% 21.7%	
2030年度	20〜22% 2.0% 19.0% 20.0% 1.0% 36.0〜38.0%	

0　20　40　60　80　100 (%)

地熱1%
バイオマス5%程度
風力5%程度
水力11%程度
太陽光14〜16%程度

凡例
○＝メリット
×＝デメリット

太陽光発電
太陽光エネルギーを太陽電池に当てることで電気に変換する。
○ 日が当たりさえすれば様々な場所に設置可能。
× 日中しか発電できず、天候にも左右されやすい。

風力発電
風車を使って風のエネルギーを電力に変換する。
○ エネルギー変換効率が高く、昼夜問わず発電可能。
× 建設や用地交渉など開発コストが高い。

水力発電
水の流れや落下の運動エネルギーを電力に変える。
○ 流量調整による安定した供給。長期稼働可能。
× 用地調査が難しく、利権や地域住民などの調整コストも高い。

バイオマス発電
動植物などの生物資源を「燃焼」や「ガス化」により発電する。
○ 廃棄物の活用など、循環型社会構築への寄与度が大きい。
× 設備コスト、資源運搬コストが高い。

地熱発電
地下水がマグマの力で加熱されてできた蒸気の力を利用。
○ 天候や時間に左右されずに安定供給。
× 適地の多くが公園や温泉地のため、地域との調整が必要。

出所：資源エネルギー庁のウェブサイトを参考に作成

30年に再生エネ38%に

再生可能エネルギー（再生エネ）とは、太陽光や風力など自然界に存在する非化石エネルギー源の総称で、原則として枯渇せず繰り返し利用できる。地球温暖化対策として各国で積極的な導入が進んでいる。2021年に閣議決定された「第6次エネルギー基本計画」では、再生エネ比率を30年に36〜38%とする目標を定めているが、22年度の日本の電源構成では再エネ比率は約20%と低い水準にとどまっている。

再生エネ普及拡大に向けて注目されているのが「ペロブスカイト型太陽電池」と洋上風力発電だ。前者は、桐蔭横浜大学の宮坂力特任教授が09年に発明した。薄いフィルム状で軽く、曲面に貼ることもできる。設置が難しかっ

関連キーワード　グリーン水素・ブルー水素：グリーン水素は再生可能エネルギーを利用して作られた水素。ブルー水素は化石燃料とCCS（CO_2の回収・貯留）・CCUS（CO_2の回収・利用・貯留）を利用して作られた水素。水素製造時のCO_2の排出を低減、排出しないのが特徴。

再生可能エネルギー拡大に向けた技術

■ペロブスカイト型太陽電池の開発

政府は2030年までに普及させる方針

・日本が生産量世界2位のヨウ素が主原料。
・薄いフィルム状で軽量、
　耐荷重の低い屋根にも設置が可能に。
・壁面や曲面にも貼ることができる。

■浮体式洋上風力発電の普及促進

浮体式洋上風力発電の設置を進め、2030年までに
洋上風力発電全体で10GWの発電量を目指す

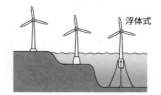

浮体式

・陸地よりも風が強い。
・風力発電を設置する土地の取得や
　騒音問題などを避けられる。
・土台が不要なため、水深にかかわらず設置可能。

■広域送電網の整備

大手電力会社が管理するエリアにかかわらず電
力を相互に融通し合うシステム。電力が足りなく
なった際などに有効活用するため、政府は整備を
進める。

広域送電網の例

九州〜中国 増強予定

北海道－東北－東京
北海道－東北－東京に向け
て送電網の増強を進めてい
る。

東西連系線
周波数が異なるため、困難だった東
西間での送電の強化に向け、周波数
変換装置を含む送電設備を増強

期待される次世代エネルギー

水素発電	アンモニア発電
水素（H_2）と酸素（O_2）を反応させる発電方法。同方法で発電する燃料電池は、CO_2が発生しない発電手段として、燃料電池車などで利用されている。	アンモニア（NH_3）は、燃焼時にCO_2を発生しないため、化石燃料の代替として開発が進む。液化天然ガス（LNG）との混焼や石炭火力での混焼でCO_2削減効果もある。

出所：資源エネルギー庁「浮体式洋上風力発電に関する国内外の動向等について」「送配電事業の在り方について」などを参考に作成

た場所や、ビルの壁や窓に貼って発電するこ
とも可能だ。洋上風力発電は、陸地よりも風
が強い洋上で発電でき、騒音などの問題も避
けられるというメリットがある。浮体式であれ
ば深い海域でも設置が可能で、洋上風力発電
の導入拡大が見込める。

広域送電網に、水素、アンモニア発電も

　再生エネ普及のさらなる切り札は、広域送

電網の整備だ。これまで電力会社は管轄外の
地域へ大量に送電する体制をとっていなかっ
たが、広域送電網を整備し電力を融通し合う
体制を整える。

　再生エネのほかにも、燃焼時に二酸化炭素
（CO_2）を発生しないクリーンエネルギーと
して水素やアンモニアを燃料に使う発電の研
究開発も進んでいる。

関連キーワード　　**グリーン成長戦略**：政府は2021年6月に「2050年カーボンニュートラルに伴うグリーン
成長戦略」を策定。「洋上風力・太陽光・地熱産業」「水素・燃焼アンモニア産業」などを、
成長が期待される分野として選定した。

75 量子技術

★★

▶量子力学を応用した世界で注目の技術
▶量子コンピューターはスパコンより計算速度が飛躍的に速い

量子技術の例

量子

量子とは、モノを形作る「原子」よりも小さな物質やエネルギーの単位のこと。大きさはナノサイズ（1メートルの10億分の1）あるいはそれより小さな世界。電子や、光の最小単位の光子がある。

量子技術

極めて小さな量子の世界では、身の回りにある物理法則が通用せず、「量子力学」という法則に従っている。この性質を生かして新しい技術を生み出す。

量子コンピューター

「量子ビット」が0でも1でもある「重ね合わせ」の状態を利用し、計算速度がスーパーコンピューターよりも飛躍的に速いコンピューター。創薬や素材開発、防災などに役立つ

2019年に米グーグルの研究グループなどが、スーパーコンピューターが1万年かかる計算を、量子コンピューターは200秒で実行したと発表。

2つ以上の数字の組み合わせも同時に表すことができる。

2量子bitのデータで0か1か定まらない状態

1度に処理することができる

コインの裏表を0か1とした場合、コインが回転し、まだ0か1か未確定の状態であるという考え方が元になっている。

（単位：量子bit）

量子通信・暗号

データを暗号化して光の粒子（光子）に暗号鍵を乗せ、通信する。読み取りなど外部から触れられると状態が変化。情報の盗み見の検知が簡単になる。

物理法則が通用しない量子力学

一般的な物理法則が通用しない「量子力学」の原理を応用した量子技術に世界が取り組んでいる。2019年に米グーグルは、量子コンピューターの圧倒的な計算速度を世界に発表した。

日本では、理化学研究所を中心とした共同研究グループが23年3月に国産初の量子コンピューターを稼働。セキュリティーに優れた量子通信・暗号の分野では、東芝やNEC、NTTなどが、多数の特許を持ち開発を進めている。

76 小型衛星コンステレーション

★★

▶地球全体を網羅するグローバルな通信網
▶宇宙空間にある通信網で、災害の影響を受けにくい

小型衛星コンステレーションのイメージ

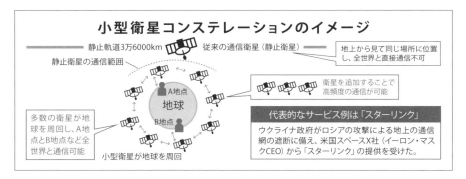

静止軌道3万6000km　従来の通信衛星（静止衛星）

地上から見て同じ場所に位置し、全世界と直接通信不可

静止衛星の通信範囲

A地点

地球

B地点

衛星を追加することで高頻度の通信が可能

多数の衛星が地球を周回し、A地点とB地点など全世界と通信可能

代表的なサービス例は「スターリンク」

ウクライナ政府がロシアの攻撃による地上の通信網の遮断に備え、米国スペースX社（イーロン・マスクCEO）から「スターリンク」の提供を受けた。

小型衛星が地球を周回

防災、防衛分野でも活用

コンステレーションは星座の意で、多数の小型衛星同士が接続する通信サービス。現在、日本が衛星放送などで使用している静止衛星ではできない、全世界との通信を可能にする。

防災では被災地との通信や衛星画像の取得による災害状況の把握、防衛ではミサイルやドローンなどの誘導に活用できる。政府は2025年度までに小型衛星コンステレーションを構築する方針だ。

77 空飛ぶクルマ

★

ポイント
- ▶垂直離着陸ができ、滑走路のいらない航空機
- ▶環境に配慮した次世代モビリティーの1つ

空飛ぶクルマの特徴

プロペラの数
4つや6つ、8つなど、メーカーによって異なる

運行する高度
150〜数百メートル

自動操縦化
人を乗せることも可能

垂直離着陸が可能

主な活用分野
- ・災害時の救急搬送や物資支援
- ・離島や山間部、過疎地などでの移動手段
- ・物流　・観光

主な課題
- ・運用ルールの整備をはじめ航空法の見直し
- ・安全性の確保

電動化と自動操縦技術による航空機

空飛ぶクルマとは、垂直に離着陸する技術を使い飛行する滑走路がいらない航空機のこと。なかでも、電動で温室効果ガスを排出しない電動垂直離着陸機（eVTOL）が主流にな

るといわれる。自動操縦で人や物を運べることも特徴の1つ。2025年の大阪・関西万博では空飛ぶクルマの運航事業者に4事業体が選ばれ、万博会場で旅客を乗せて飛行する商用運航や、デモ飛行に向けて準備が進められている。

78 バイオものづくり

★★

ポイント
- ▶ゲノム解析とIT・AI技術で「バイオ×デジタル」の開発が進展
- ▶「スマートセル」がものづくりで活躍

バイオものづくりの研究開発が進む

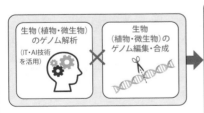

生物（植物・微生物）のゲノム解析
（IT・AI技術を活用）

×

生物（植物・微生物）のゲノム編集・合成

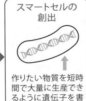

スマートセルの創出

作りたい物質を短時間で大量に生産できるように遺伝子を書き換えたもの

高機能製品を生み出す

スマートセルを活用して

医療	・サプリメント
エネルギー	・バイオ燃料 ・バイオエタノール
農業	・動物の細胞による培養肉 ・害虫を駆除する物質
新素材	・人工クモ糸 ・環境に配慮したプラスチック

出所：経済産業省「バイオものづくり革命の実現」などを基に作成

スマートセルを使った新しいものづくり

微生物や動植物などの細胞にゲノム編集や遺伝子組み換えを行い、目的に合わせて機能を高めたものを「スマートセル」という。これを使ったバイオものづくりが進展している。ス

マートセルを活用し、自然の中で分解する生分解性プラスチックや強度のある人工クモ糸、培養肉などが生み出されている。海洋汚染や食料問題などの課題解決と経済成長がともに望める研究分野として位置付けられている。

137

確認ドリル

カッコ内に入る言葉を答えよ。

1 北海道・大樹町、和歌山県・串本町などに整備されている、宇宙関連の施設を（　　　）という。

2 6G では、速度・容量が 5G の約（　　　）倍に進化するといわれている。

3 サイバー攻撃の一種で、勝手に PC をロックしたり、ファイルを暗号化して使用不能にしたりして、「身代金」を要求する不正プログラムを（　　　）という。

4 NTT が研究・開発を進める次世代通信基盤構想を（　　　）という。

5 エーザイが米製薬会社と開発したレカネマブは（　　　）の治療薬である。

6 政府は（　　　）年までに、新車販売をすべて電動車にする目標を掲げている。

7 デジタル技術でビジネスモデルや働き方を変えることを（　　　）という。

8 薄いフィルム状で折り曲げることもできるので、ビルの壁や窓に張ることもできる次世代の太陽電池を（　　　）型太陽電池という。

9 グーグルの研究グループによると（　　　）コンピューターは、スーパーコンピューターが 1 万年かかる計算を 200 秒で実行したとされる。

10 宇宙空間にあることで災害の影響を受けにくく、地球全体を網羅するグローバルな通信網を（　　　）という。

【解答】　1. 宇宙港（スペースポート）　2. 10　3. ランサムウエア
4. IOWN（アイオン）　5. 認知症　6. 2035　7. DX（デジタルトランスフォーメーション）
8. ペロブスカイト　9. 量子　10. 小型衛星コンステレーション

第 8 章

社会・環境

「能登半島地震」や「原発再稼働」、
「パリ五輪・パラリンピック」など、
世間の関心が高いテーマや、
社会で話題になったニュースを集めた。

79 国土強靭化

★★★

▶ 自然災害が多い日本は防災の取り組みが不可欠
▶ 災害被害を最小限に抑え、迅速に復旧・復興できる
　「強さとしなやかさ」を備えた経済社会システムの構築を推進

国土強靭化の基本目標と取り組み

■国土強靭化の基本目標

- ☑ **人命の保護**が最大限図られること
- ☑ 国民の財産及び公共施設に係る**被害の最小化**
- ☑ 国家及び社会の**重要な機能**が致命的な障害を受けず維持されること
- ☑ **迅速な復旧・復興**

ソフト

個人・地域コミュニティ

企業・団体

- 食料や防災用品の備蓄
- 家屋の耐震化・家具の固定
- 防災情報の発信や防災教育の実施
- 避難路・避難施設の整備
- 堤防等の整備・強化

- ハザードマップの確認・防災訓練への参加
- 事業継続計画（BCP）の策定
- オフィス・工場の耐震化
- インフラの老朽化対策
- 道路ネットワークの機能強化

地域や個人での
防災への取り組みなど
ソフト面での備えも
国土強靭化に
含まれる

国・地方自治体

ハード

強靭化で…「災害被害を最小限に」「迅速に復旧・復興」

出所：内閣官房「すすめよう災害に強い国づくり」を基に作成

強くてしなやかな国づくり

　日本では、1995年の阪神・淡路大震災以降、インフラの耐震性強化を進めてきた。しかし、2011年の東日本大震災で防潮堤などハード中心の対策の限界が露呈。一方、防災教育に基づく避難行動が命を救うケースもあった。そこで、災害が起きても、社会の被害が致命的にならず、迅速に回復する「強さとしなやかさ」を備えた経済社会システムを構築する「国土強靭化」という考え方が生まれた。国土強靭化に関する国の計画等の指針を定めた「国土強靭化基本計画」は、国土強靭化基本法に基づき14年に初めて策定された。内容はおおむね5年ごとに見直されている。

　政府はハード面、ソフト面ともに取り組むことを国土強靭化とし、防災情報の発信や避難

関連キーワード

事業継続計画（BCP）：Business Continuity Plan の略で、災害や事故、テロなどの非常時に損害を最小限に抑え、重要業務の継続や早期復旧を可能とするために企業が事前に取り決めておく行動計画。2011年の東日本大震災を受けて認知が進み、コロナ禍においてさらに策定の重要性が再確認された。

「防災・減災、国土強靭化のための5か年加速化対策」の重点施策

①激甚化する風水害や切迫する大規模地震等への対策

治水対策の例

治水ダムの建設
土砂崩れに対応した砂防ダムの建設
遊水池の整備
堤防の整備

気象災害や地震などによる被害を抑えるための防災インフラの整備と、迅速な復旧・復興のための取り組みなどを推進。

ハザードマップ

インフラ整備などのハード面だけでなく、ハザードマップの作成・活用や避難訓練などのソフト面の対策も強化。

②予防保全型インフラメンテナンスへの転換に向けた老朽化対策

日本のインフラの大半は、高度経済成長期に整備され、耐用年数が近づいている。国土交通省は、リスクの高いインフラの集中的な修繕などを実施。

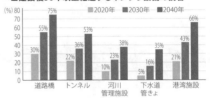

■建設後50年以上経過するインフラ設備の割合

	2020年	2030年	2040年
道路橋	30%	55%	75%
トンネル	22%	36%	53%
河川管理施設	10%	23%	38%
下水道管きょ	5%	16%	35%
港湾施設	21%	43%	66%

③国土強靭化に関する施策を効率的に進めるためのデジタル化等を推進

気象情報などを収集・集積し、効果のある情報発信や、災害の予測に基づいた対策を推進。インフラの整備において、人工知能（AI）やロボットの活用なども検討。

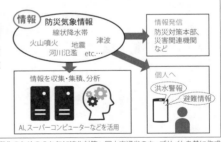

情報　**防災気象情報**
線状降水帯　火山噴火　地震　津波　河川氾濫　etc…

情報を収集・集積、分析
AI、スーパーコンピューターなどを活用

情報発信　防災対策本部、災害関連機関など

個人へ
洪水警報　避難情報

出所：内閣官房「防災・減災、国土強靭化のための5か年加速化対策」、国土交通省のウェブサイトを基に作成

訓練などのソフト施策、堤防や避難路の整備などのハード施策などを進めている。コロナ禍での避難所生活など、パンデミック下における大規模自然災害発生の想定など、新たな課題も挙がっている。

また、5か年加速化対策（21年度〜）では、老朽化したインフラを修繕する「予防保全」や流域全体で水害に備える「流域治水」などを柱とした。日本の社会インフラの大半は、高度経済成長期に整備されたため、耐用年数が近づいている。国土交通省によると、道路橋の場合、全国の約37％が建設から耐用年数の50年を経過しているという（23年3月末時点）。インフラの点検や維持管理には、ドローンや人工知能（AI）といったデジタルの活用を推進している。

関連キーワード

L（Local）アラート：災害発生時に、地方自治体等が発する避難指示などの災害情報を集約し、テレビやラジオ局、携帯電話事業者などの多様なメディアに一斉配信して地域住民へ災害情報を迅速に伝達するシステム。平時も、地域のイベント情報を配信している。

80 能登半島地震

- ▶ 2024年元日に能登半島で発生した震度7の地震
- ▶ 家屋倒壊や火災が発生しインフラにも甚大な被害
- ▶ 住民の流出により少子高齢化がさらに進む懸念も

★★★

正月の日本を襲った大災害

■各地の震度
マグニチュード7.6の大地震。
震度7を記録した。

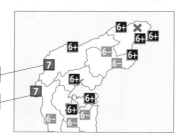

震度7　石川県輪島市

震度7　石川県志賀町

■被害の状況

人的被害　合計1,678人

死者	負傷者	行方不明者
341	1,334	3

住家被害　合計12万6,678棟

全壊	半壊	一部破損	浸水(床上・床下)
6,273	20,892	99,488	25

非住家被害　合計3万4,945

公共建物	その他
131	34,814

出典：内閣府　令和6年能登半島地震に係る被害状況等について（2024年8月21日）
※新潟県、富山県、石川県、福井県、長野県、岐阜県、愛知県、大阪府、兵庫県
※死者は災害関連死を含める

■震災後の能登半島の人口

震災後の人の流出が鮮明に

	2024年1月1日現在（推計）	7月1日現在（推計）	増減数（単位：人）
七尾市	47,198	45,980	-1,218
輪島市	21,903	20,367	-1,536
珠洲市	11,721	10,923	-798
志賀町	17,239	16,810	-429
穴水町	7,312	6,971	-341
能登町	14,277	13,722	-555
	119,650	114,773	-4,877

出所：「石川県の人口と世帯」

「家も仕事もないから
もう住めない…」

内陸型としては最大規模の震度を記録

　2024年1月1日16時10分頃に石川県の能登半島を最大震度7の大地震が襲った。震源は能登半島西方沖から佐渡島西方沖にかけての活断層で、内陸部で発生した地震としては稀な大きさとなった。

　各地で家屋の倒壊や土砂災害、火災などが発生し、交通網も寸断されるなど、被害は甚大なものになった。特に200棟以上が消失した観光名所「朝市通り」の大火災は、被害の激しさから人々に大きな衝撃を与えた。

　また、液状化現象により道路、上下水道施設を中心にインフラも大きな打撃を受けた。多くの家庭で断水などの被害に見舞われたが、地震発生半年ほどで一部地域を除いてほぼ解消している。

　一方で、道路の寸断に伴って復興が遅れている地域を中心に、住民の流出という問題が浮き彫りになってきた。震災後に能登地方の6市町合計で5000人近くも人口が減少している。これは復興を担う働き手ばかりでなく、小中学校の児童・生徒の減少にもつながり、この地方の少子高齢化がさらに深刻になることが懸念される。

81 代替たんぱく質

★★

ポイント
▶人口増や環境問題を背景に代替たんぱく質の開発が進む
▶植物肉や昆虫食に注目が集まる
▶代替たんぱく質の商品化も続々

植物肉、昆虫食など代替たんぱく質が注目される背景

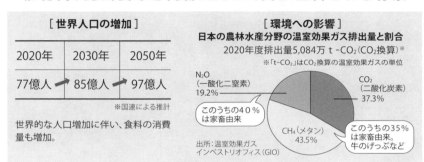

[世界人口の増加]

2020年	2030年	2050年
77億人	85億人	97億人

※国連による推計

世界的な人口増加に伴い、食料の消費量も増加。

[環境への影響]
日本の農林水産分野の温室効果ガス排出量と割合
2020年度排出量5,084万 t −CO$_2$（CO$_2$換算）※
※「t−CO$_2$」はCO$_2$換算の温室効果ガスの単位

N$_2$O（一酸化二窒素）19.2%
このうちの40%は家畜由来
CH$_4$（メタン）43.5%
CO$_2$（二酸化炭素）37.3%
このうちの35%は家畜由来。牛のげっぷなど

出所：温室効果ガスインベントリオフィス（GIO）

植物肉を開発
大豆やえんどう豆など植物由来の原料を使用して、肉に似た食感を楽しむ植物肉の消費が伸びている。

植物肉はハンバーガーチェーンでも活用

培養肉
肉の細胞を培養して人工的に食肉を作る培養肉の研究開発への投資が増えている。

昆虫食に注目
昆虫食は環境負荷が少なくたんぱく質が豊富

牛のげっぷを抑える飼料の開発も進む	温室効果ガス排出量	必要な飼料の量
	体重1kg当たり	
牛	2850g	10.0kg
昆虫	2g	1.7kg

出所：国連食糧農業機関「FORESTRY PAPER171」を参考に作成

代替卵商品 キユーピーは21年6月、植物性たんぱく質を由来としたスクランブルエッグ状の「代替卵」商品を発売。

出所：農林水産省、環境省のウェブサイトを参考に作成

持続可能な食品の開発

肉などの代わりにたんぱく源となる、持続可能な食品は代替たんぱく質と呼ばれ、植物肉や昆虫食などが注目されている。日本ハムなどは、植物由来の代替肉を商品化し、培養肉も含め開発に注力している。2023年7月には、いよいよ米国で動物の細胞を使った培養肉の販売が始まった。

代替たんぱく質の普及が進む背景には、環境問題や食料問題がある。世界的な人口増加などにより食肉の需要は伸びるが、供給に課題を抱える。水資源が減少し、食肉生産に必要な水や穀物飼料の確保が難しくなりつつあり、牛のげっぷ等には温室効果ガスが含まれることも課題となっている。また、ベジタリアン（菜食主義者）や卵・乳製品なども食べないビーガン向けに普及が進んでいることもある。

国連食糧農業機関（FAO）は2013年、食料難に備えて、たんぱく質を効率よく摂取できる昆虫食を推奨。日本でもコオロギを原料とした食品が商品化されている。セミ、アリ、ハチ、ゲンゴロウなども素材として利用されている。

82 原発再稼働

★★★

ポイント
▶ 2011年に起こった東日本大震災以降、原発の依存度は低減
▶ 電力需要逼迫、エネルギー情勢の変化により原発を活用へ
▶ 敦賀原発2号機で初の再稼働不許可

原子力発電の現状と課題

政府によるエネルギー政策の基本方針　S+3E

安全性 **S**afety

| 安定供給 Energy Security | 経済効率性 Economic Efficiency | 環境適合 Environment |

2023年2月 GX実現に向けた基本方針
「再生可能エネルギー、原子力など
エネルギー安全保障に寄与し、
脱炭素効果の高い電源を
最大限活用」

エネルギー自給率の向上
1次エネルギー自給率（2022年度）
自給率 13%
海外依存率 87%

＋脱炭素

原子力発電所稼働年数延長
原則40年、最長60年の運転規定のところ、「一定の停止期間分」の延長を可能とする（GX電源法）

次世代革新炉の建設
廃炉となる原発の敷地内での建て替えを具体化

電源構成
原子力発電が占める割合
2022年度 **5.5%**
2030年度 **20〜22%に！**

日本の原子力発電所の稼働状況 全36基（2024年7月現在）

再稼働	設置変更許可（安全審査通過済稼働可）	新規制基準審査中	安全審査未申請
12基	**5**基	**10**基 敦賀原発2号機は不許可に	**9**基

原子力発電の主な課題

再稼働に向けて「安全」と「安心」の確保	高レベル放射性廃棄物（核のゴミ）の処理 など
●自然災害への対策（地震や津波など）　●重大事故への対策（水素爆発防止、テロ対策）　など	核燃料の95%は再利用、5%が核のゴミ

出所：経済産業省「GXに向けた基本方針」、資源エネルギー庁ウェブサイトを基に作成

原発を最大限活用

2011年の東日本大震災に伴う東京電力福島第一原子力発電所の事故後、政府は原発の運転期間を原則40年・最長60年とするよう法改正。新しい原発を建設することや建て替えもしないという方針を示した。

22年3月の福島県沖地震の影響で、複数の火力発電所が停止。同年6月の猛暑の際に東京電力管内の電力需給が逼迫した。政府は、冬の需要を想定し安全審査を通過している原発を再稼働することを発表した。

日本は現在、火力発電等に使用する化石燃料の約9割を海外に依存している。国際情勢の変化によって供給が途絶えるリスクや為替の変動などで価格が高騰するリスクなどがある。また、原子力発電は稼働時に二酸化炭素（CO_2）をほぼ排出しないため、脱炭素の面からも活用を推進している。

電力会社が原発を稼働するには新規制基準をクリアする必要がある。2024年7月、原子力規制委員会は日本原子力発電の敦賀原発2号機の再稼働を認めず、全国初の不適合例となった。政府は原発活用へ方針を転換したが、再稼働のペースは遅れている。

83 福島第一原子力発電所の処理水の海洋放出

★★

ポイント
▶福島第一原子力発電所の放射性物質を含んだ汚染水を浄化した処理水を貯めたタンクが満杯に
▶安全基準を満たした処理水を海洋放出

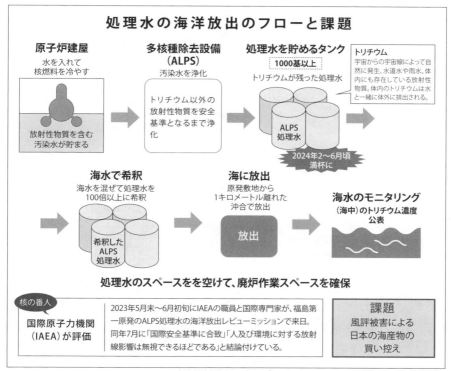

処理水の海洋放出のフローと課題

原子炉建屋
水を入れて核燃料を冷やす
放射性物質を含む汚染水が貯まる

多核種除去設備（ALPS）
汚染水を浄化
トリチウム以外の放射性物質を安全基準となるまで浄化

処理水を貯めるタンク
1000基以上
トリチウムが残った処理水
ALPS処理水
2024年2〜6月頃満杯に

トリチウム
宇宙からの宇宙線によって自然に発生、水道水や雨水、体内にも存在している放射性物質。体内のトリチウムは水と一緒に体外に排出される。

海水で希釈
海水を混ぜて処理水を100倍以上に希釈
希釈したALPS処理水

海に放出
原発敷地から1キロメートル離れた沖合で放出
放出

海水のモニタリング
（海中）のトリチウム濃度公表

処理水のスペースをを空けて、廃炉作業スペースを確保

核の番人
国際原子力機関（IAEA）が評価
2023年5月末〜6月初旬にIAEAの職員と国際専門家が、福島第一原発のALPS処理水の海洋放出レビューミッションで来日。同年7月に「国際安全基準に合致」「人及び環境に対する放射線影響は無視できるほどである」と結論付けている。

課題
風評被害による日本の海産物の買い控え

出所：経済産業省ウェブサイト「みんなで知ろう。考えよう。ALPS処理水のこと」を基に作成

処理水を貯めるタンクの容量が限界に

政府は、東京電力福島第一原子力発電所（原発）に貯蔵されていた処理水の海洋放出を決定、東京電力ホールディングスが2023年8月に処理水の海洋放出を始めた。11年3月の東日本大震災の津波で同原発所内の1〜3号機で炉心溶融（メルトダウン）事故を起こし、格納容器内には今も溶け落ちた核燃料（デブリ）が存在する。それを冷却するために1日平均100トンの放射能汚染水が発生する。汚染水は装置に通してセシウムやストロンチウムを取り除き、「多核種除去設備（ALPS）」でトリチウ

ム以外62種の放射性物質を除去して処理水となる。

放出の際には処理水を海水で100倍以上に希釈する。政府は処理水を海洋放出しても、環境や人体への影響は考えられないとしている。国際原子力機関（IAEA）が調査し、「国際安全基準に合致」したと報告書をまとめた。

原発敷地内にある処理水を貯めた1000基超のタンクの容量が限界にあり、海洋放出は、廃炉作業を進める上では避けられない状況だった。中国は海洋放出に反対姿勢を取り、23年8月に日本産水産物を全面禁輸とした。

★★

▶ 知識偏重から思考力・判断力・表現力を重視する入試制度へ
▶ 2025年度入試からの共通テストは新学習指導要領に
　対応した新しい試験に。「情報」も新設

新しい共通テスト導入までの流れと変更のポイント

■新しい共通テスト導入までの流れ

年	時期	内容
2021	1月	センター試験から大学入学共通テストに移行
2022	4月	高校1年生から新学習指導要領が始まる
	11月 試作問題を公表	大学入試センターが各教科・科目の問題作成の方向性を公表
		大学が大学入学共通テスト利用教科・科目を予告
2023	6月 出題方法や科目選択の方法などを公表	文部科学省が実施大綱（予告した出題教科・科目などを含む試験の実施方針）を公表
		大学入試センターが「出題教科・科目の出題方法等」と「問題作成方針」を公表
2024	6月頃	大学入試センターが出願方法や時間割など「令和7年度大学入学者選抜に係る大学入学共通テスト実施要項」を公表
2025	1月	新学習指導要領に対応した新しい共通テストがスタート

＊旧教育課程を履修した既卒者に対しては経過措置が取られる

■学力の3要素

知識・技能　　思考力・判断力・表現力等　　主体性を持って多様な人々と協働して学ぶ態度

変更ポイント

6教科30科目から7教科21科目へ

- 「情報」を新設
- 「地理歴史」「公民」は、現行10科目から、「地理総合、歴史総合、公共」など6科目で編成
- 「数学」は新学習指導要領で設置された「数学C」を加えて6分野構成に
- 理科4つの基礎科目を「物理基礎、化学基礎、生物基礎、地学基礎」に一本化

英語の民間試験導入、国語と数学の記述式問題の導入は見送りに

コンピューターで実施する試験CBT＊の導入も見送り、従来のペーパーテストを実施
※Computer-based Testing

■高校、大学を通じて学力の3要素を育成（高大接続）。知識偏重から思考力・判断力・表現力も重視

「高大接続」で高校教育、大学教育を一体にした改革

学力の3要素を重視
高校 育成　　大学入試 多面的・総合的に評価　　大学 育成の深化

→ デジタル化、グローバル化など変化の激しい時代に活躍できる人材を育成

出所：文部科学省のウェブサイトを参考に作成

2025年から新しい共通テストがスタート

2021年1月、大学入試センター試験に代わり、新しく大学入学共通テスト（共通テスト）が実施された。知識偏重といわれる入試内容を見直し、「思考力・判断力・表現力」を重視した内容に変わった。大学入試改革の柱だった英語民間試験の活用と記述式試験問題については見送られたが、大学独自の試験で使われるケースはある。

文部科学省はグローバル化や技術革新に伴い、社会構造の急速な変化などに対応するための応用力、創造力を養うことを目的として「学力の3要素（1. 知識・技能、2. 思考力・判断力・表現力等、3. 主体性を持って多様な人々と協働して学ぶ態度）」を育成・評価するために高大接続改革を進めてきた。

22年度の高校入学者から新学習指導要領での学習が始まったことに合わせて、25年度以降の共通テストでは国語、地理歴史、公民、数学、理科、外国語の6教科に「情報」が追加され、6教科30項目から7教科21科目に再編される予定だ。旧教育課程の履修者対象に別途問題を用意するなど、既卒者に対しては経過措置が取られる。

85 パリ五輪・パラリンピック

ポイント ★
▶パリでの開催は3回目。1900年、1924年、2024年
▶ロシア、ベラルーシは個人資格、難民選手団も参加
▶メダル数はオリンピック45個、パラリンピック41個

パリの名所の数々が競技場に

種目

オリンピック
32競技・329種目
新種目：ブレイキン
（ブレイクダンス）

パラリンピック
22競技・549種目

パリの名所を活用

開会式は、セーヌ川
史上初、選手が船で入場行進

パリを象徴する名所で競技の例
●ベルサイユ宮殿で馬術
●コンコルド広場でブレイキン
●全仏オープン会場でもあるスタッド・ローラン・ギャロスでテニス・車いすテニス
●サーフィンはフランス領ポリネシアのタヒチで行われた

> オリンピックの開会式では、個性的な演出が話題に

参加国・地域・選手数

オリンピック
・207の国と地域
・約1万1000人

パラリンピック
・168の国と地域
・約4400人

※ロシアとベラルーシは個人資格での参加
※IOC難民選手団が参加

日本人選手の活躍

■オリンピックのメダル獲得数

順位	国名	金	銀	銅	合計
1	米国	40	44	42	126
2	中国	40	27	24	91
3	日本	20	12	13	45
4	オーストラリア	18	19	16	53
5	フランス	16	26	22	64

金メダルの数は、開催国のフランスを上回り世界3位に。複数のメダルを獲得したのは、お家芸といわれる柔道や体操のほか、フェンシングやレスリング、スケートボードなど。一方、銀メダル1個にとどまった競泳など、次回大会に向けて課題を残す競技もあった。

[体操] 岡 慎之助 選手
団体、個人総合、種目別の鉄棒で金メダル、平行棒で銅メダルを獲得した

[陸上・やり投げ] 北口 榛花 選手
マラソン以外では、日本女子初となる陸上の金メダルを獲得した

パラリンピックでは、水泳・男子50m平泳ぎの鈴木孝幸選手、バドミントン男子シングルスの梶原大暉選手、車いすラグビー、車いすテニス女子シングルスの上地結衣選手、女子ダブルス（上地選手・田中愛美選手）、男子シングルスの小田凱人選手などが金メダルを獲得した。

平和の祭典に社会情勢が影を落とす

前回から100年ぶり、3回目の開催となったパリ五輪・パラリンピックは、既存の観光名所を活用したことが特徴の1つだ。

参加したのは207の国と地域で、ウクライナへの軍事侵攻を理由に、ロシアと同盟国ベラルーシの選手は、個人資格の選手としてのみ参加を認められた。また、紛争や迫害で故郷を追われた難民アスリートで構成されるIOC難民選手団が3大会連続の参加となり、カメルーン出身のシンディ・ヌガンバ選手が、ボクシング女子75kg級で銅メダルを獲得した。

日本は海外開催の大会最多の409人の選手団を派遣した。初日に柔道女子48kg級の角田夏実選手が金メダルを獲得したのを皮切りに活躍が続き、海外開催の大会としては最多の計45個のメダルを獲得。なかでも、金2個を含むメダル5個を獲得したフェンシングや、6日連続金メダルを含む計11個のメダルを獲得したレスリングの躍進が注目された。

パラリンピックの日本選手団は175人。金14、銀10、銅17、計41個のメダルを獲得し、金メダル数は自国開催だった東京大会の13個を上回った。

86 ★ 2024年 スポーツ・文化の話題

▶米国の賞レースで日本の作品が存在感を示す
▶スポーツ界では若手が躍動

今後の活躍にも期待の著名人たち

山崎貴氏（映画監督）

山崎 貴 氏（映画監督）	『ゴジラ-1.0』が、米アカデミー賞でアジア映画史上初の視覚効果賞を受賞。
真田 広之 氏（俳優）	米ドラマシリーズ『SHOGUN 将軍』のプロデューサーの1人。主演も兼ねる。エミー賞で主演男優賞、作品賞を含む18部門で栄冠に輝いた。
YOASOBI（ミュージシャン）	コンポーザーAyaseとボーカルikuraの男女ユニット。コーチェラ・フェスティバル出演、米単独公演を成功させた。
大谷翔平 選手（米大リーガー）	23年12月にロサンゼルス・ドジャースに移籍。24年は二刀流を封印して打撃に注力し、好調を維持している。
小田凱人 選手（車いすテニス選手）	24年1月の全豪オープンで優勝。すでに全仏と全英で優勝しており、全米で優勝すれば四大大会制覇を達成。パリパラリンピックでは金メダルを獲得した。

映画・音楽で、スポーツで世界を舞台に活躍

映画では、山崎貴氏が監督した『ゴジラ-1.0』が米アカデミー賞で視覚効果賞を受賞。エミー賞では、真田広之氏が製作した米ドラマ『SHOGUN 将軍』が話題になった。音楽界ではYOASOBIが世界的な音楽フェスに出演し、日米首脳会談にも招待された。

米大リーグの大谷翔平選手は、移籍後も打撃が好調だ。車いすテニスの小田凱人選手は2025年、全米制覇を目指す。

87 ★★ 大阪・関西万博（2025年国際博覧会）

▶世界の課題解決につながる展示が行われる国際博覧会
▶建設費高騰や準備遅れなどで出展辞退のパビリオンも

世界が注目するビッグイベント

コンセプト
未来社会の実験場

●主な展示：

シグネチャーパビリオン	落合陽一氏（メディアアーティスト）、石黒浩氏（大阪大学教授）ら、テーマ事業プロデューサー8人が担当テーマを表現する
海外パビリオン	アメリカ・カナダ・中国・サウジアラビア ほか
民間パビリオン	住友館・よしもと waraii myraii館 ほか

●入場料（会期中チケット、1日券の場合）：
大人7500円、中人4200円、小人1800円、3歳以下は無料
※入場チケットは発売時期、入場条件などによって価格が変わる

©Expo 2025
公式キャラクター
「ミャクミャク」

日本で開催される6回目の国際博覧会

大阪・関西万博は2025年4月13日から10月13日まで大阪市の人工島・夢洲（ゆめしま）で開催される。「いのち輝く未来社会のデザイン」をテーマに、世界共通の課題の解決につながる最新技術を体感できる展示を行う。オンライン空間でのバーチャル万博も予定。一方で、資材価格や人件費の上昇によって建設費は大幅に高騰。計画の遅れもあって出展を辞退するパビリオンも目につく。

88 南鳥島レアメタル
★★

ポイント
▶日本の最東端の海底で膨大な量の鉱物資源を発見
▶国内消費量75年分に相当するコバルトも含まれる

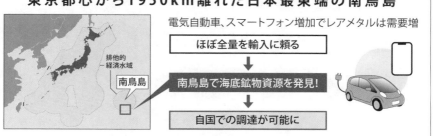

東京都心から1950km離れた日本最東端の南鳥島

排他的経済水域
南鳥島

電気自動車、スマートフォン増加でレアメタルは需要増

ほぼ全量を輸入に頼る

南鳥島で海底鉱物資源を発見！

自国での調達が可能に

輸入に頼らずレアメタルの自国調達が可能に

日本の最東端である南鳥島（東京都小笠原村）周辺の排他的経済水域（EEZ）で海底鉱物資源「マンガンノジュール」が発見された。マンガンノジュールはリチウムイオン電池など

に不可欠なレアメタルを高濃度で含んでおり、コバルトは国内消費量の75年分にも相当するとみられている。2025年から海上に引き上げる実験が行われ、将来の商用化を目指す。

89 CO_2 の回収・貯留、活用（CCS、CCUS）
★★

ポイント
▶ CCSは排出したCO_2を大気中に放出せずに地中に貯留
▶ CCUSは排出したCO_2を大気中に放出せずに有効利用

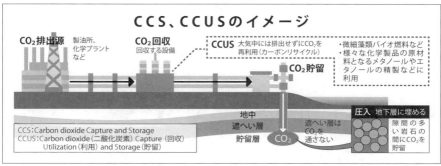

CCS、CCUSのイメージ

CO_2排出源　製油所、化学プラントなど　CO_2回収　回収する設備

CCUS 大気中には排出せずにCO_2を再利用（カーボンリサイクル）
・微細藻類バイオ燃料など
・様々な化学製品の原材料となるメタノールやエタノールの精製などに利用

CO_2貯留

地中　遮へい層　貯留層　CO_2　遮へい層はCO_2を通さない

圧入　地下層に埋める　隙間の多い岩石の間にCO_2を貯留

CCS：Carbon dioxide Capture and Storage
CCUS：Carbon dioxide（二酸化炭素）Capture（回収）Utilization（利用）and Storage（貯留）

出所：資源エネルギー庁「知っておきたいエネルギーの基礎用語 〜CO_2を集めて埋めて役立てる『CCUS』」を基に作成

脱炭素社会に向けて世界で取り組む

大気中の二酸化炭素（CO_2）の削減に向けて、世界で技術開発が進むCCS、CCUS。CCSはプラントなどで排出されるCO_2を回収し、地層に貯留・圧入する技術。2030年の商用化

を目指し、北海道・苫小牧のプラントで、地層や海洋への影響、地震発生時のリスクなどを含めて、官民で実証実験に取り組んでいる。CCUSは、CO_2を利用して燃料や様々な化学製品を作る技術。

カッコ内に入る言葉を答えよ。

1 建設から耐用年数の 50 年を経過している全国の道路橋は約（　　　）%になる（2023 年 3 月末時点）。

2 2024 年 1 月 1 日に、石川県の能登半島で発生した大地震を（　　　）という。

3 福島第一原子力発電所の処理水の海洋放出に抗議し、日本の海洋水産物を全面禁輸とした国は（　　　）である。

4 大豆などを原料とし、肉に似せた食感や味を楽しめる食品を代替肉または（　　　）と呼ぶ。

5 政府は、2030 年度までに原子力発電の割合を（　　　）割程度に引き上げることを目標としている。

6 2025 年度の大学入学共通テストから追加される教科は、（　　　）である。

7 2024 年にフランス・パリで開催されたオリンピックで新種目に採用されたのは（　　　）である。

8 2024 年のパリパラリンピックで、車いすテニス男子シングルスの種目において史上最年少の金メダリストになったのは（　　　）選手である。

9 映画『ゴジラ -1.0』で米アカデミー賞視覚効果賞を受賞したのは、（　　　）監督である。

10 二酸化炭素（CO_2）を大気中に放出せずに地中に貯留することをアルファベット 3 文字で（　　　）という。

【解答】　1. 37　2. 能登半島地震　3. 中国　4. 植物肉　5. 2　6. 情報
7. ブレイキン（ブレイクダンス）　8. 小田凱人（ときと）　9. 山崎貴　10. CCS

第9章

経済の基礎知識

ニュースを見たり新聞を読むのに、
最低限知っておきたい経済の基本知識を、分かりやすく解説。
ニュースの理解度がグッと高まるはずだ。

90 景気

★★★

▶経済活動の活発さを判断する最も基本的な考え方
▶「好景気 (好況)」「不景気 (不況)」といわれるように
景気には波がある

景気循環のイメージ

景気がいい

山

好況

後退

拡大

不況

谷

景気が悪い

山

山

谷

「景気の波」の1サイクル

● 内閣府が発表する日本の公式の景気循環は2局面に分割して循環を表している。景気の拡大局面の最高点を「山」、景気の後退局面の最低点を「谷」と表現し、谷から次の谷までを1循環としている。
● 正式な景気の拡大 (後退) 期間については、内閣府が景気動向指数をはじめとする各種の景気指標を用いて総合的に判断し、事後的に発表する。

「景気がいい」「景気が悪い」とは何か

　経済活動の活発さの度合いを表す言葉が「景気」だ。「景気がいい状態 (好景気・好況)」とは、モノやサービスがよく売れて企業の業績が伸び、労働者の賃金も上がって消費に回せるお金が増え、ますますモノやサービスが売れるようになる状態を指す。一方、「景気が悪い状態 (不景気・不況)」は、これと反対の

ことが起こり、経済活動の活発さが失われた状態をいう。

在庫の増減が景気循環を引き起こす

　景気は好景気の時期 (拡大期) と不景気の時期 (後退期) を繰り返す。これを「景気循環」といい、「景気変動」「景気の波」とも呼ばれる。その要因は諸説あるが、企業在庫の増減が関係するとの説が有名だ。好景気が続

有効求人倍率：労働市場の需給状況が分かる指標。仕事を求めている1人に対して、何件の求人があるかを表している数字。求人倍率が1を超えれば人手の不足感が、逆に1を割り込めば余剰感がそれぞれ強まっていることを映す。

景気循環の種類

名称	周期	主因
キチン循環	約40カ月	企業在庫の調整
ジュグラー循環	約10年	設備投資の変動
クズネッツ循環	約20年	建築物の建て替え
コンドラチェフ循環	約50年	産業の技術革新

景気循環は、こうした様々な「波」が複合的に重なり合って起こる。

戦後の日本の景気拡大期

名称	景気の「谷」	景気の「山」	拡大期間
神武景気	1954年11月	1957年 6月	31カ月間
岩戸景気	1958年 6月	1961年12月	42カ月間
オリンピック景気	1962年10月	1964年10月	24カ月間
いざなぎ景気	1965年10月	1970年 7月	57カ月間
列島改造ブーム	1971年12月	1973年11月	23カ月間
バブル景気	1986年11月	1991年 2月	51カ月間
カンフル景気	1993年10月	1997年 5月	43カ月間
ITバブル	1999年 1月	2000年11月	22カ月間
いざなみ景気	2002年 1月	2008年 2月	73カ月間
アベノミクス	2012年11月	2018年10月	71カ月間

おもな景気指標

景気動向指数	日銀短観
・景気の動きに敏感に反応する経済指標を総合して算出する景気指標。内閣府が毎月公表。 ・景気の山や谷よりも早く動く先行指数、同時に動く一致指数、遅れて動く遅行指数の3指数がある。	・正式名称は「全国企業短期経済観測調査」。日銀が年4回実施。全国1万社以上の企業に景況感などの経営状況を聞き取る。 ・速報性が高く、景気の現状を判断する指標としての重要度が高い。業況判断指数（DI）が特に注目される。

いてモノが売れているときは、企業は生産を増やし、在庫量が膨らむ。しかし、見込みよりモノが売れなくなると生産を控え、原材料や部品を販売する企業の売り上げも減る。これが産業界全体に波及して生産活動全体が停滞し、景気の後退につながる。在庫の変動により発生する景気循環は、提唱した学者の名前にちなみ「キチン循環」と呼ばれる。

2002年以降、日本の景気は回復期に入り、02年2月からの景気拡大期間は73カ月間と、戦後最長を記録した。22年7月には内閣府が20年5月を景気の「谷」と正式認定、同年6月から回復局面に入った。24年8月の「月例経済報告」（内閣府）では、国内景気は「一部に足踏みが残るものの、緩やかに回復している」としたが、先行きは不透明だ。

関連キーワード　景気ウォッチャー調査：内閣府が毎月、小売店主やタクシー運転手などに景気感について調査し、集計・分析して発表する景気指標。「街角景気」とも呼ばれ、2000年から公表が始まった。

91 GDP

★★★

ポイント

▶国内で一定期間にモノ・サービスの生産で生み出された
付加価値の合計。一国の経済規模を表す代表データ
▶ＧＤＰの伸び率を示した数値を「経済成長率」という

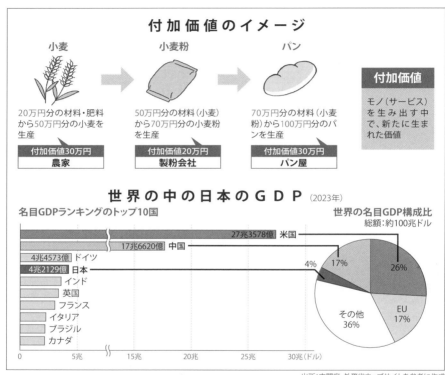

付加価値のイメージ

小麦 → 小麦粉 → パン

20万円分の材料・肥料から50万円分の小麦を生産
付加価値30万円 農家

50万円分の材料（小麦）から70万円分の小麦粉を生産
付加価値20万円 製粉会社

70万円分の材料（小麦粉）から100万円分のパンを生産
付加価値30万円 パン屋

付加価値
モノ（サービス）を生み出す中で、新たに生まれた価値

世界の中の日本のＧＤＰ (2023年)

名目GDPランキングのトップ10国

27兆3578億 米国	
17兆6620億 中国	
4兆4573億 ドイツ	
4兆2129億 日本	
インド	
英国	
フランス	
イタリア	
ブラジル	
カナダ	

0　5兆　15兆　20兆　25兆　30兆(ドル)

世界の名目GDP構成比
総額：約100兆ドル

米国 26%
EU 17%
その他 36%
中国 17%
4%

出所：内閣府、外務省ウェブサイトを参考に作成

国の経済をはかるものさし

　一定期間に国内で生み出された付加価値（モノやサービスの生産額から原材料などの中間生産物を差し引いたもの）の合計額をGDP（国内総生産）という。この額が増え続けているということは、一般企業にたとえれば毎年利益が増えている状態に相当する。前の期（年）に比べたGDPの伸び率が「経済成長率」で、景気の重要な判断材料の1つだ。

　経済規模が増えていなくても、物価が5％上昇すれば、統計上はGDPも5％伸びたように見える。これを踏まえ、物価変動を加味して調整計算したGDPを「実質GDP」、調整計算していないGDPを「名目GDP」と呼ぶ。

　日本の高度経済成長期の成長率は平均10％前後だったが、近年は低水準。名目GDPは2009年まで米国に次ぐ世界第2位だったが、10年に中国に抜かれ第3位に、23年にはドイツに抜かれ第4位に後退した。また、内閣府が23年12月に発表した国民経済計算年次推計によると22年の1人あたり名目GDPは3万4064ドルで、主要7カ国（G7）で最低となった。円安の影響も大きいが長期的な成長の低迷が反映されている。

92 インフレ・デフレ

★★

ポイント

▶物価が継続的に上昇していく現象がインフレ
　逆に下降していく現象がデフレ
▶インフレもデフレも経済にはマイナスに働く

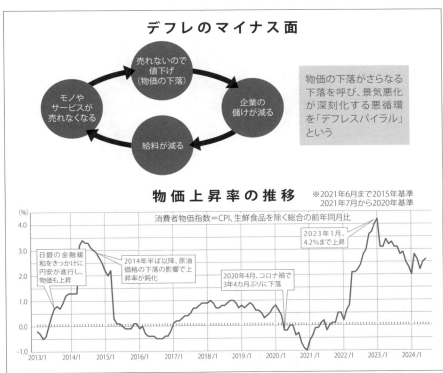

デフレのマイナス面

売れないので値下げ（物価の下落）

企業の儲けが減る

給料が減る

モノやサービスが売れなくなる

物価の下落がさらなる下落を呼び、景気悪化が深刻化する悪循環を「デフレスパイラル」という

物価上昇率の推移

※2021年6月まで2015年基準
2021年7月から2020年基準

消費者物価指数＝CPI、生鮮食品を除く総合の前年同月比

日銀の金融緩和をきっかけに円安が進行し、物価も上昇

2014年半ば以降、原油価格の下落の影響で上昇率が鈍化

2020年4月、コロナ禍で3年4カ月ぶりに下落

2023年1月、4.2%まで上昇

出所：総務省統計局ウェブサイトを参考に作成

物価は「経済の体温計」

その国の経済全体での価格水準を、個々のモノやサービスの値段と区別して「物価」という。物価が継続的に上昇していく現象がインフレーション（インフレ）、逆に下降していく現象がデフレーション（デフレ）だ。

経済活動が活発になり、値段が高くても買いたいという人が増えれば物価は上がる。逆の場合は下がる。このように物価は経済の活発さと密接な関係があるため、「経済の体温計」とも呼ばれる。

物価を示す経済指標の代表が「消費者物価指数（CPI）」。暮らしに身近なモノやサービスの平均的な価格を指数化したもので、総務省が毎月公表している。

日本は長期にわたってデフレ（物価下落）が継続していたが、ロシアのウクライナ侵攻などによるエネルギー価格、原材料価格の高騰などから、2022年3月の物価上昇率0.8%（前年同月比）から4月に2.1%に急上昇した。以降、上昇が続き23年1月には4.2%となった。23年の後半は3%から2%台に下がり、24年の前半は2%台で推移。日銀が掲げる物価上昇率2%を維持している。

93 日本銀行の金融政策

★★

- ▶日本銀行の最大の目的は物価の安定を図ること
  その達成手段として実施する経済政策が金融政策
- ▶日本銀行は 2024 年 3 月にゼロ金利政策を解除した

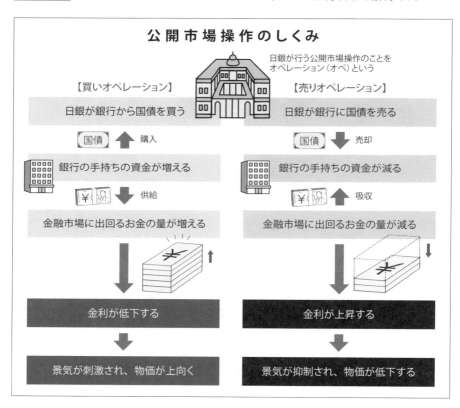

公開市場操作のしくみ

日銀が行う公開市場操作のことを
オペレーション（オペ）という

【買いオペレーション】　　　　　　　　　【売りオペレーション】

| 日銀が銀行から国債を買う | 日銀が銀行に国債を売る |

国債 ↑ 購入　　　　　　　　　　　　国債 ↓ 売却

| 銀行の手持ちの資金が増える | 銀行の手持ちの資金が減る |

¥ ↓ 供給　　　　　　　　　　　　¥ ↑ 吸収

| 金融市場に出回るお金の量が増える | 金融市場に出回るお金の量が減る |

| 金利が低下する | 金利が上昇する |

| 景気が刺激され、物価が上向く | 景気が抑制され、物価が低下する |

公開市場操作で物価を安定させる

　日本銀行（日銀）のように、国の金融機能の中核を担う銀行を中央銀行という。日銀の役割は、様々な金融政策を行い、物価を安定させたり、景気の調整を行ったりすることだ。主なものに金融市場で民間金融機関と国債などを売買して、市中に出回るお金の量を調整する「公開市場操作（オペレーション）」がある。

17 年ぶりに金利を引き上げ

　日本は 1990 年代にバブル崩壊後、景気低迷期に突入した。日銀は 99 年に金利をゼロに近づける「ゼロ金利政策」を実施。2013 年にはデフレ脱却のため、市中のお金の量を増やし、金融市場から買い取る資産の種類や額を増やす「量的・質的緩和」を実施した。

　そして 16 年 2 月、民間銀行が日銀にお金を

関連
キーワード　　　**欧州中央銀行（ECB）**：統一通貨のユーロを導入して以来、欧州連合（EU）圏の金融政策を決定する中央銀行。物価安定に反しない範囲において経済政策を行う。現在の総裁は、クリスティーヌ・ラガルド氏。

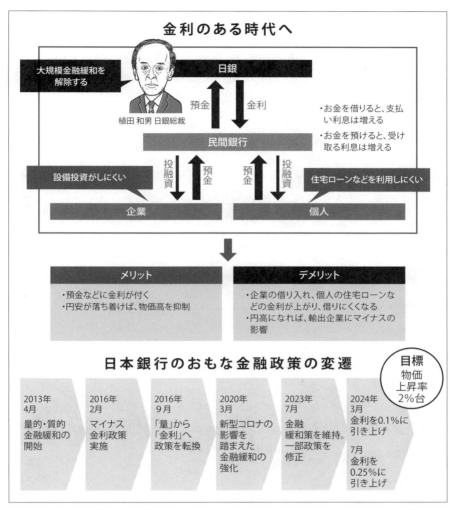

金利のある時代へ

日銀

植田 和男 日銀総裁

大規模金融緩和を解除する

預金 ← → 金利

・お金を借りると、支払い利息は増える
・お金を預けると、受け取る利息は増える

民間銀行

投融資 預金 預金 投融資

設備投資がしにくい

住宅ローンなどを利用しにくい

企業　　**個人**

メリット	デメリット
・預金などに金利が付く ・円安が落ち着けば、物価高を抑制	・企業の借り入れ、個人の住宅ローンなどの金利が上がり、借りにくくなる ・円高になれば、輸出企業にマイナスの影響

日本銀行のおもな金融政策の変遷

目標
物価
上昇率
2%台

2013年4月	2016年2月	2016年9月	2020年3月	2023年7月	2024年3月
量的・質的金融緩和の開始	マイナス金利政策実施	「量」から「金利」へ政策を転換	新型コロナの影響を踏まえた金融緩和の強化	金融緩和策を維持。一部政策を修正	金利を0.1%に引き上げ 7月 金利を0.25%に引き上げ

預けるときの金利をマイナスにする「マイナス金利」を導入した。日銀に預ける一定額以上の預金には手数料をかけるというものである。さらに同年9月、マイナス金利政策は維持しつつ、長期金利を0%に誘導していく方針を決定。「量」から「金利」の誘導に政策を転換した。20年には金融緩和を粘り強く続けていくことを表明した。23年4月に、2013年から日銀総裁を務めた黒田東彦氏にかわって、経済学者の植田和男氏が総裁に就任。24年3月の金融政策決定会合で「マイナス金利政策」を解除し、政策金利を0.1%に引き上げることを決定した。国債の買い入れは継続し、イールドカーブ・コントロールの枠組みやETFの買い入れは終了する。さらに日銀は7月に金利を0.25%程度にする追加の利上げを決めた。

関連キーワード　**イールドカーブ（利回り曲線）・コントロール**：長短金利操作。日銀は、長期金利をゼロ%程度に誘導、短期金利には一定額以上の預金に手数料をかけることで、短期から長期までの金利をコントロールしようとしている。

94 国債

★★

▶国が発行する債券で、国の借用証書のようなもの
▶日本の債務残高は 1300 兆円を超え
　財政再建は喫緊の課題

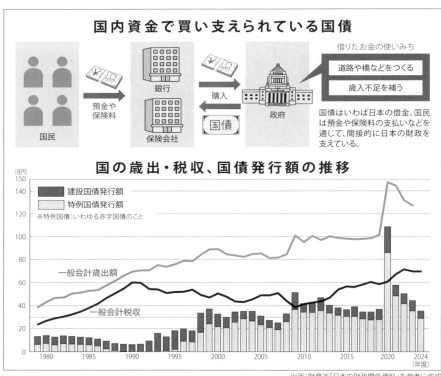

国内資金で買い支えられている国債

借りたお金の使いみち

道路や橋などをつくる

歳入不足を補う

国債はいわば日本の借金。国民は預金や保険料の支払いなどを通じて、間接的に日本の財政を支えている。

国の歳出・税収、国債発行額の推移

出所:財務省「日本の財政関係資料」を参考に作成

膨らみ続ける国の借金

　国債は国が資金を借り入れるために発行する債券だ。目的別に、その年の歳入（国の収入）不足を補うために発行される「赤字国債」、道路・港湾など公共事業の財源に充てるために発行される「建設国債」などがある。

　日本の国家財政は深刻な赤字状態が続いている。2024 年度予算を見ると、歳出（国の支出）総額約 112 兆円のうち、これをまかなう中心のはずの税収は約 69 兆円で 6 割超にとどまり、足りない分は国債でまかなっている状態だ。歳入に占める国債発行額の割合（国債依存度）は 24 年度予算時点で約 3 割になる。

　国債と借入金、政府短期証券を合わせた国の債務残高の総額を「国の借金」と呼ぶが、24 年 8 月に財務省が発表した「国の借金」の残高は 1311 兆 421 億円（24 年 6 月末現在）で過去最大を記録した。過去に発行した額の累積が増加の一途をたどっている。

　23 年度以降は、コロナ禍から企業業績が回復し、法人税収は増加。物価高騰などで消費税収も増えて歳入は増加しているが、歳出も増え続け、国の借金が膨らんでいる。

95 貿易

★★

ポイント
▶国境を越えて実施されるモノやサービスの売買取引
▶日本は「加工貿易」を得意としてきたが、
　近年では輸入品のおよそ半分は製品が占める

日本の貿易相手国上位10カ国 (輸出入総額)

2010年	128兆1,646億円
中国	26兆4,985億円 (20.7%)
米国	16兆2,854億円 (12.7%)
韓国	7兆9,642億円 (6.2%)
台湾	6兆6,188億円 (5.2%)
オーストラリア	5兆3,402億円 (4.2%)
タイ	4兆8,337億円 (3.8%)
インドネシア	3兆8,706億円 (3.0%)
香港	3兆8,381億円 (3.0%)
サウジアラビア	3兆7,173億円 (2.9%)
マレーシア	3兆5,321億円 (2.8%)

2023年	211兆694億円
中国	42兆1,836億円 (20.0%)
米国	31兆8,067億円 (15.1%)
オーストラリア	11兆4,475億円 (5.4%)
台湾	11兆117億円 (5.2%)
韓国	10兆9,426億円 (5.2%)
タイ	7兆7,236億円 (3.7%)
アラブ首長国連邦	6兆6,604億円 (3.2%)
ベトナム	6兆426億円 (2.9%)
ドイツ	5兆8,647億円 (2.8%)
サウジアラビア	5兆7,652億円 (2.7%)

2006年までは日本の最大の貿易相手国は長らく米国だった。しかし2007年に中国が首位となり、現在は同国が輸出入総額全体の2割を占める。

※カッコ内の数字は、貿易の総額に対する構成比

日本の貿易額の推移

日本の貿易総額は、30年前に比べると約3倍以上になっている

輸出総額
輸入総額

出所:財務省ウェブサイト「貿易統計」を参考に作成

最大の貿易相手国は中国

　日本は中国や米国、ドイツに次ぐ世界第4位の貿易大国だ。貿易総額（輸出額と輸入額の合計）は約211兆円（財務省貿易統計）。

　その貿易構造は変化している。原材料を輸入して材料を作り、加工して製品を輸出する「加工貿易」で経済成長を遂げたが、近年は輸入品の半分を製品が占める。相手先として中国を筆頭にアジアのウェートが大きい。

　現在の輸出の主要品目は自動車や自動車部品、鉄鋼、半導体等電子部品など。自動車は米国への輸出が多く、半導体等電子部品は主に中国などアジア向けだ。輸入の主要品目は原油、LNG（液化天然ガス）で、大部分を中東諸国から輸入している。

　日本は1981年から2011年までの30年間、輸出額から輸入額を引いた貿易収支は、黒字が続いてきたが12年に赤字に転落。16年に黒字になってからは赤字、黒字どちらかが長く続いたことはない。23年は9兆2913億円の赤字。3年連続の赤字だが前年比で54.3%縮小した。22年は資源価格の高騰や円安の影響で、過去最大の20兆3295億円の赤字だった。円安の中、貿易赤字が続くことが懸念されている。

★★★

▶違う通貨同士を交換する際の比率を為替相場（かわせ）という
▶円高は他の通貨に比べて円の価値が上がる現象
　逆に円安は価値が下がる現象を指す

円高・円安の仕組み

輸出が増える	輸入が増える
海外からの投資が増える	日本から海外への投資が増える
円の需要が増える	**円の需要が減る**

日本に投資したい（海外の投資家）　ドルを円に替えたい（日本企業）

海外に投資したい（日本の投資家）　円をドルに替えたい（日本企業）

| 円高 | 円安 |

貿易取引と国際金融取引が為替相場を左右

「1ドル＝150円」「1ユーロ＝160円」など異なる通貨同士を交換する際の比率（レート）を為替相場という。円の価値が高まり1ドル＝100円から90円になった場合が円高、110円になった場合が円安だ。

円高・円安を招く要因の1つに貿易取引の動きがある。日本からの輸出が増えれば、稼いだドルを円に替える動きが増えて円高に向かいやすい。逆に海外からの輸入が増えると円安に向かう。

国際金融取引の動きも影響する。海外投資家が日本の株式を買う際には自国通貨を円に替えるため、海外からの預金や投資の増加は円高を招く。逆に日本から海外への預金や投資が拡大すると円安を促す。

関連キーワード　**外国為替市場**：銀行や証券会社などの金融機関が各国通貨を売買取引する市場。外為（がいため）市場とも呼ばれる。東京外為市場のほか、ロンドン、ニューヨーク、チューリッヒ、シンガポールなど世界各地にあるため、時差の関係で24時間取引される。

円高・円安の影響

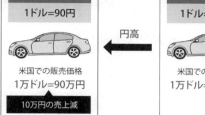
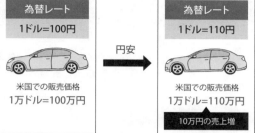

為替レート 1ドル=90円	←円高	為替レート 1ドル=100円	円安→	為替レート 1ドル=110円
米国での販売価格 1万ドル=90万円		米国での販売価格 1万ドル=100万円		米国での販売価格 1万ドル=110万円
10万円の売上減				10万円の売上増

円安は自動車や家電など輸出産業の業績にプラス、反対に円高はマイナスに働く(輸入産業の場合はこの逆)

円・ドル為替レートの推移

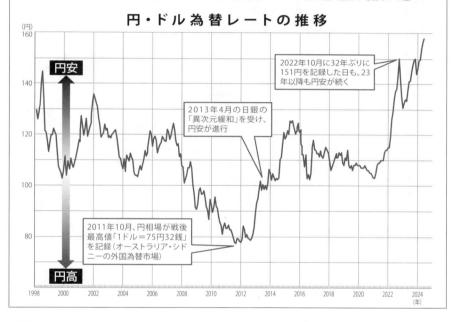

円安 / 円高

2022年10月に32年ぶりに151円を記録した日も。23年以降も円安が続く

2013年4月の日銀の「異次元緩和」を受け、円安が進行

2011年10月、円相場が戦後最高値「1ドル=75円32銭」を記録(オーストラリア・シドニーの外国為替市場)

(円) 160 / 140 / 120 / 100 / 80

1998 2000 2002 2004 2006 2008 2010 2012 2014 2016 2018 2020 2022 2024 (年)

産業ごとに異なる影響

1ドルの相場が100円から110円と円安になると、海外で自動車を1台1万ドルで販売するメーカーの円建て売上高は10万円増える。円安は自動車など輸出産業の業績の追い風となる。半面、円安になると円建ての輸入代金が上がるため、原材料を輸入に頼る製造業や輸入品を扱う小売業の収益の圧迫要因となる。

2022年3月、米国の中央銀行制度の最高意思決定機関「連邦準備理事会(FRB)」がゼロ金利政策を解除後、円を売り金利の高いドルを買う動きが加速、円安が進行した(参照テーマ1)。24年は3月に日銀がゼロ金利政策を解除、7月に追加利上げを決定したが円安は続いた。しかし9月にFRBに利下げの見方が強まり、140円台の円高に動いた。

関連キーワード

変動相場制：外国為替市場での売買により通貨の交換レートが決まるしくみ。需給バランスで決まるが、相場が乱高下するリスクがある。通貨価値が不安定な新興国では政府が介入してレートを固定したり変動幅を小さく抑える「固定相場制」を採用する例が見られる。

97 企業決算

★★

▶企業の1年間の業績・経営状態を確定させること
▶会計年度は暦の「1年」とは異なり、日本では
　4月〜翌年3月をひと区切りの決算期とする企業が多い

3月決算の企業の会計年度

	四半期決算の場合		半期決算の場合
3月	前の会計年度		前の会計年度
4月	第1四半期		上半期
5月			
6月			
7月	第2四半期	四半期決算 3カ月（四半期）ごとの決算を行う	
8月			
9月			
10月	第3四半期	中間決算 6カ月（半期）ごとの決算を行う	下半期
11月			
12月			
1月	第4四半期		
2月			
3月		本決算	
4月	次の会計年度		次の会計年度

期首 4/1　会計年度　期末 3/31

それぞれの期末に決算を発表し、業績・財政状態の中間報告を行う。四半期決算では、次の四半期に業績改善が見込まれる場合は業績予想の上方修正を、悪化が見込まれる場合は下方修正を行う。

企業の「財政状態」を明らかに

　決算とは、企業の1年間の売上や利益などを確定させることである。それを決算書として報告することは、法律で義務付けられている。企業の業績や財政状態は、税の徴収や投資判断において必要不可欠な情報だからだ。

　決算は通常、年度末に行われる。「年度」とは、1月1日〜12月31日の暦上の「1年」ではなく、営業の区切りとしての期間を指す。日本では4月1日を年度初め（期首）、ちょうど1年後の3月31日を年度終わり（期末）とする企業が多い。会計年度は1年以内であれば自由に決めることができ、10月〜翌年9月を会計年度としている企業もある。決算処理に追われる期末は、企業の財務部門にとって1年間で最も忙しい時期となる。

関連キーワード　**子会社**：他の会社（親会社）からの支配を受け、経済的な面で親会社と一体化している会社。会社法では、親会社が株式の50%超を保有し、株主総会の議決権を実質的に押さえられている会社を子会社と定義している。

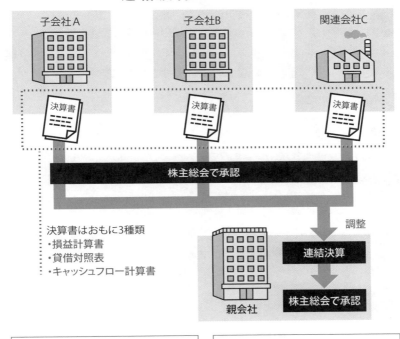

連結決算のイメージ

子会社A　　　子会社B　　　関連会社C

決算書　　決算書　　決算書

株主総会で承認

決算書はおもに3種類
・損益計算書
・貸借対照表
・キャッシュフロー計算書

親会社

調整

連結決算

株主総会で承認

決算の数字が 前年度より良かったら…	決算の数字が 前年度より悪かったら…
●業績の好転を理由に、銀行からの融資を受けやすくなる ●好成績に投資家の注目が集まり、株価が上がる ●利益を課税対象とする翌年度の法人税額が増える	●業績の悪化を理由に、銀行からの融資を受けにくくなる ●投資家の間に不安が広がり、株価が下がる ●利益を課税対象とする翌年度の法人税額が減る

重要テーマセレクト10 国際社会・経済 国内政治 日本経済 業界・企業 労働・雇用 テクノロジー 社会・環境 経済の基礎知識

連結決算のメリット・デメリット

　大企業などは自社だけでなく、グループ全体の連結決算を出さなければならない。連結決算の対象には原則としてすべての子会社、関連会社を含めることになっている。国際会計基準を定めるIFRS（国際財務報告基準）財団は連結決算の開示を求めているため、海外でビジネスを展開する企業はIFRSに準拠した連結決算の開示が必要だ。

　連結決算では、子会社を含めたグループ間の取引は利益から除外されるため、財務の透明性が増し、経営の実態に沿った情報をステークホルダーに提供できるというメリットがある。一方、グループ全体の財務情報を集約するために担当部署の負担が大幅に増えるというデメリットもある。

関連キーワード

粉飾決算：経営状態を実際よりよく見せるために、決算書の数字をごまかすこと。親会社が子会社に在庫を売りつけ、利益として計上する粉飾決算をしても、子会社を含む連結決算書にはその利益が表れないため、粉飾目的の不当な売買であることを見抜くことができる。

重要テーマセレクト10／国際社会・経済／国内政治／日本経済／業界・企業／労働・雇用／テクノロジー／社会・環境／**経済の基礎知識**

163

98　先行指数

★

> ▶景気動向指数の１つで、景気に対し先行して動く
> ▶製品の製造に必要な機械の需要などが含まれる

先行指数に用いられる指数

- ・実質機械受注（製造業）
- ・新規求人数（除学卒）
- ・新設住宅着工床面積
- ・最終需要財在庫率指数
　（逆サイクル）

- ・鉱工業用生産財在庫率指数
　（逆サイクル）
- ・消費者態度指数
- ・日経商品指数（42種総合）
- ・マネーストック（M2）

- ・東証株価指数
- ・投資環境指数（製造業）
- ・中小企業売上げ見通しDI

「逆サイクル」は、指数の上昇・下降
が景気の動きと反対になる指標

景気を予測するときに使う

　先行指数とは、内閣府が毎月発表する景気動向指数の１つで、景気に対し先行して動く指標。数カ月先の景気の先行きを予測するときに用いられる。おもなものに、製造業による実質機械受注、学卒を除いた新規求人数、新設住宅着工床面積、東証株価指数などがある。景気を予測する指数は世界にもある。世界経済に大きな影響力を持つ米国の景気予測では、米国の雇用統計が重視されている。

99　遅行指数

★

> ▶景気動向指数の１つで、景気に対し遅れて動く
> ▶経済活動後に確定する法人税収入などが含まれる

遅行指数に用いられる指数の例

- ・法人税収入
- ・家計消費支出
　（勤労者世帯、名目）
- ・消費者物価指数
　（生鮮食品を除く総合）

- ・完全失業率
　（逆サイクル）
- ・第3次産業活動指数
　（対事業所サービス業）
- ・常用雇用指数
　（調査産業計）

- ・実質法人企業設備投資
　（全産業）
- ・きまって支給する給与
　（製造業、名目）
- ・最終需要財在庫指数

景気の転換点を確認するときに使う

　遅行指数とは、内閣府が毎月発表する景気動向指数の１つで、景気に対し遅れて動く指標。景気局面や転換点を確認するときなどに利用される。おもなものに、法人税収入、家計消費支出、消費者物価指数、完全失業率（逆サイクル）などがある。遅行指数は半年から１年遅れの景気の動きを示すものだが、景気の現状を示す「一致指数」、数カ月先の景気の動きを示す「先行指数」もある。

100 おもな決算用語

★★

▶これだけは知っておいてほしいという
決算関連書類に登場する言葉を掲載
▶有価証券報告書には給与の情報も

おもな決算用語

▼「超」基礎用語

・資産……現金、土地など、会社が所有する財産
・負債……返済する義務のあるお金
・資本……会社の元手になるお金
・収益……会社に入ってくるお金

▼売上高

企業の営業活動によって得た収益。コストや費用を差し引く前のもの。配当・利息収入などの営業外収益は含まない。

▼売上総利益

売上高から販売したモノ・サービスの売上原価（材料などの費用など）を引いたもの。「粗利（あらり）」とも呼ばれる、実際粗い数字だが、比較的すぐに計算できる。

▼営業利益

売上総利益から、本業の営業活動をするための従業員の給与、交通費など様々な経費（「販売費および一般管理費」）を引いたもの。本業の営業での利益を表す。

▼経常利益

営業利益に、本業の営業活動以外からあがる利益（営業外収益ー営業外費用）を足したもの。本業に伴う預金・借入の利子の発生という「経常的な活動」による利益。

▼税引き前当期純利益

企業はその年限りの利益と損失を出すことがある。経常利益にこうした通常の年度には発生しない利益、損失を勘案した利益を税引き前当期純利益という。

▼当期純利益

企業は、法人税、固定資産税など様々な税金を支払っている。当期純利益とは、「税引き前当期純利益」からこれらの税金を差し引いたもので、これが企業の最終的な利益となる。

▼売上高営業利益率

「営業利益」を「売上高」で割った数値のこと。本業の収益性の高さを測る指標。業界にもよるが10～20％でも高い水準といえる。

▼自己資本比率

返済義務のない資本が、総資本のうちのどのくらいかを表したもの（自己資本比率＝自己資本÷総資本×100）。自己資本比率が高いほうが、安定しており倒産しにくいといえる。

▼キャッシュ／キャッシュフロー

キャッシュとは、普通預金、当座預金、通知預金などのすぐに引き出せる預金、満期日までの期間が3カ月以内の定期預金、譲渡性預金が含まれている。キャッシュフローはお金の流れのこと。

有報は EDINET で閲覧できる

実際に決算に関する資料を見る際に知っておいてほしい用語を上にまとめた。決算情報は企業のホームページに「IR（投資家向け情報）」などとして公開されている。上場企業の場合には、「有価証券報告書（以下、有報）」を見ると、企業の経営状態を詳しく知ることができる。各企業の有報は金融庁の「EDINET（https://disclosure2.edinet-fsa.go.jp/）」で閲覧可能だ。有報には決算情報以外にも、「提出会社の状況」の中に平均年齢、平均勤続年数、平均年間給与が記載されている。また、

事業上の課題や今後の計画なども書いてある。就活生なら就職先選びの企業研究、社会人なら取引先の状況把握に役立つだろう。

2023年から上場企業は有報に人材育成費や社員の満足度、男女の賃金格差など「人への投資」に関する人的資本情報の開示が義務付けられた。

なお、「損益計算書」と「貸借対照表」に加え、「キャッシュフロー計算書」の3つを「財務三表」と呼ぶ。キャッシュフロー計算書は、会計期間中の「キャッシュ」の動きを表す書類。

カッコ内に入る言葉を答えよ。

1 景気は好景気の時期（拡大期）と不景気の時期（後退期）を繰り返す。これを（　　　　）という。

2 （　　　　）調査とは、内閣府が毎月、小売店主やタクシー運転手などに景況感について調査し、集計・分析して発表するもの。

3 物価変動を加味して調整計算した GDP を実質 GDP、調整計算していない GDP を（　　　　）GDP と呼ぶ。

4 物価の下落がさらなる下落を呼び、景気悪化が深刻化する悪循環をデフレ（　　　　）という。

5 （　　　　）とは、道路・港湾など公共事業の財源に充てるために発行される国債である。

6 異なる通貨同士を交換する際の比率を（　　　　）という。

7 企業の1年間の売上や利益などを確定させることを（　　　　）という。

8 景気動向指数の1つで、景気に対して先行して動くものを（　　　　）という。

9 売上総利益とは、売上高から販売したモノ・サービスの売上原価を引いたものだが、俗に（　　　　）とも呼ばれる。

10 営業利益に、本業の営業活動以外からあがる利益（営業外収益—営業外費用）を足したものを（　　　　）という。

【解答】　1. 景気循環（景気変動、景気の波）　2. 景気ウォッチャー　3. 名目
4. スパイラル　5. 建設国債　6. 為替相場（為替レート）　7. 決算　8. 先行指数
9. 粗利　10. 経常利益（損益）

【編集者プロフィール】
日経 HR 編集部 (にっけいえいちあーるへんしゅうぶ)

就職・転職や働き方をテーマに学生、大学、企業を取材。学生や社会人のキャリア形成をサポートするため、
就職・転職、キャリアアップに必要な情報や、身につけておくべき教養をコンテンツとして提供している。

図解でわかる 時事重要テーマ100　2025-2026

発行日 ──────── 2024 年 10 月 7 日　第 1 刷
編集者 ──────── 日経 HR 編集部
発行者 ──────── 齋藤 惠
発行 ────────── 株式会社日経 HR
　　　　　　　　　〒 101-0045 東京都千代田区神田鍛冶町 3-6-3
　　　　　　　　　URL　https://www.nikkeihr.co.jp/
発売 ────────── 株式会社日経 BP マーケティング

編集協力 ─────── 吉岡 名保恵／有限会社 office texte (若槻 基文、藤田 隆介) ／忍 章子／
　　　　　　　　　株式会社カルチャー・プロ／金子 千鶴代／丹後 雅彦
表紙デザイン ───── 二ノ宮 匡 (株式会社 nixinc)
本文デザイン・DTP ─ 株式会社スタンダード (野間 誉智)
本文レイアウト ──── 塩飽 晴海
表紙イラスト ───── のり
本文イラスト ───── のり
校正 ────────── 有限会社共同制作社
印刷・製本 ────── 大日本印刷株式会社

ISBN978-4-296-12120-5　C2034

本書に関するお知らせや訂正情報は、小社ウェブサイトで公開します。
本書の内容に関するご質問は以下のアドレスまでお願いします (お電話では受け付けておりません)。
book@nikkeihr.co.jp

乱丁本・落丁本はお取り替えいたします。